2025年度版

TAC 税理士講座

税理士受験シリーズ

44

事業税

理論マスター

TAC出版
TAC PUBLISHING Group

はじめに

税理士試験の受験科目として事業税を選ぶ多くの人は「事業税は、条文数も少ないし、難解な部分も少ないことから、短期間での合格が可能である。」ということから受験することとしたという。

しかし、「事業税は参考書がほとんどなく学習の方法がわからない。」「地方税法の条文自体覚えにくい。」という声も多く耳にする。

そこで本書は、事業税合格のために、何をいかに学習すべきか、という点に主眼を置き、①受験上必要と思われる理論内容を設問と解答の形式で収録し、②各設問の内容は少しでも覚えやすいように、解答の柱や文章の言い回し等工夫を凝らしている。受験生には、本書の有効な利用により“合格”の２字を手中にすることを心から願うものである。

〈本書の利用の仕方〉

1．最近の事業税の試験問題をみると、単に個別論点の暗記のみでは合格は不可能である。そのことからも各章の学習において常に事業税の体系を考えてもらいたい。

2．税法の学習は、条文規定の内容理解にあることから、必ず関連条文を確認してもらいたい。

（本書は令和６年７月までの施行法令に準拠している。）

ＴＡＣ税理士講座

凡　　例

法　……………	地方税法
令　……………	地方税法施行令
規　……………	地方税法施行規則
取通　…………	地方税法の施行に関する取扱いについて
暫定措置法　……	地方法人特別税等に関する暫定措置法

引　用　例

法72の15②一　……	地方税法第72条の15第２項第一号
取通３　…………	地方税法の施行に関する取扱いについて　第３章 事業税

本書を使用する際の注意点

1　テーマについて

法体系の確認がしやすいように、各理論問題については、テーマごとに分けて収録し、各テーマをページの上部に表示してあります。

また、各理論問題は、各テーマに属する枝番号（1－1等）で表示してあります。

法令の体系的な学習（応用理論対策等）に役立ててください。

2　ランクについて

各理論問題について、その科目を学習する上での重要度（ランク）を、理論問題のタイトルの横に表示してあります。

理論学習をする際の指針としてください。

ランクＡ　……　学習をするにあたって非常に重要度の高い理論問題
ランクＢ　……　学習をするにあたって比較的重要度の高い理論問題
ランクＣ　……　学習をするにあたって比較的重要度の低い理論問題

3　重要度について

各理論問題の中の各項目について、その理論問題の中での重要度を、項目のタイトルの横に表示してあります。

理論学習をする際の指針としてください。

◎　……　その理論問題の中で非常に重要度の高い項目
○　……　その理論問題の中で比較的重要度の高い項目
△　……　その理論問題の中で比較的重要度の低い項目

4　カッコ書きについて

本文中のカッコ書きについては、本文との区別がしやすいように文字の大きさを小さくして収録してあります。

まずはカッコ書きを除いて文章を確認し、その後、カッコ書きを付け足す形で確認をすると学習しやすくなりますので、参考にしてください。

5　条文番号について

各理論問題の中の各項目について、参照して頂く条文番号を表示してありますが、条文番号については暗記（解答）する必要はありません。

CONTENTS

目　次

テーマ１：総　論

テーマ２：法人事業税の税額算定

テーマ３：法人事業税の手続

テーマ４：法人事業税の是正措置

テーマ1

総　論

1－1　事業税の納税義務者　〔ランクＡ〕

1．法人事業税の納税義務者　重要度◎

(1) 国内に事務所等を設けて事業を行う法人（法72の２①）

法人事業税は、法人の行う事業に対し、次の(4)の事業の区分に応じ、それぞれに定める額により事務所又は事業所（以下「事務所等」という。）所在の道府県において、その法人に課する。

(2) 人格のない社団等（法72の２④）

法人でない社団又は財団で代表者又は管理人の定めがあり、かつ、収益事業又は法人課税信託の引受けを行うもの（その社団又は財団で収益事業を廃止したものを含む。以下「人格のない社団等」という。）は、法人とみなして、事業税を課する。

(3) みなし課税法人（法72の２⑤）

法人課税信託の引受けを行う個人には、個人事業税を課するほか、法人とみなして、法人事業税を課する。

(4) 課税区分（法72の２①）

①　②から④以外の事業

イ　ロ以外の法人（外形対象法人）……付加価値割額、資本割額及び所得割額の合算額

ロ　公益法人等、特別法人、人格のない社団等その他一定の法人並びにこれら以外の法人で資本金の額若しくは出資金の額が１億円以下のもの又は資本若しくは出資を有しないもの……所得割額

②　電気供給業（次の③の事業を除く。）、ガス供給業のうち導管ガス供給業（一般ガス導管事業及び特定ガス導管事業をいう。）、保険業及び貿易保険業……収入割額

③　電気供給業のうち小売電気事業等（小売電気事業に準ずるものとして一定のものを含む。）、発電事業等（発電事業に準ずるものとして一定のものを含む。）及び特定卸供給事業

イ　ロ以外の法人……収入割額、付加価値割額及び資本割額の合算額

ロ　上記(4)①ロの法人……収入割額、及び所得割額の合算額

④　ガス供給業のうち特定ガス供給業……収入割額、付加価値割額及び資本割額の合算額

（注）判定の時期（法72の２②）

資本金の額又は出資金の額が１億円以下の法人であるかどうか等の判定は、各事業年度終了の日（仮決算による中間申告納付にあってはその事業年度開始の日から６月の期間の末日、清算中の各事業年度の申告納付にあっては解散の日）の現況による。

２．個人事業税の納税義務者

重要度◎

(1)　国内に事務所等を設けて事業を行う個人（法72の２③）

個人事業税は、個人の行う第１種事業、第２種事業及び第３種事業に対し、所得を課税標準として事務所等所在の道府県において、その個人に課する。

(2)　みなし事務所等（法72の２⑦）

個人が事務所等を設けないで行う第１種事業、第２種事業及び第３種事業については、その事業を行う者の住所又は居所のうちその事業と最も関係の深いものをもって、事務所等とみなして、事業税を課する。

３．外国法人又は外国個人の事務所等（法72の２⑥）

重要度△

外国法人又は外国個人の行う事業に対する事業税の適用については、恒久的施設をもって、その事務所等とする。

４．法人課税信託（法72の２の２）

重要度△

法人課税信託の受託者は、各法人課税信託の信託資産等及び固有資産等ごとに、それぞれ別の者とみなして、事業税の規定を適用する。

５．実質課税の原則（法72の２の３）

重要度△

資産又は事業から生ずる収益が法律上帰属するとみられる者が単なる名義人であって、その収益を享受せず、その者以外の者がその収益を享受する場合には、その収益に係る事業税は、その収益を享受する者に課する。

６．信託財産と事業税（法72の３）

重要度△

信託の受益者（受益者として権利を有するものに限る。）は、その信託財産に属する資産及び負債を有するものとみなし、かつ、その信託財産に帰せられる収益及び費用は、その受益者の収益及び費用とみなして、事業税を課する。

７．非課税事業を行う法人又は個人（法72の４等）

重要度△

上記**１**．から**３**．に該当する法人又は個人であっても、非課税事業のみを行う法人又は個人その他一定のものに該当する場合には、事業税の納税義務者とはならない。

８．用語の意義（法72）

重要度△

(1) 付加価値割……付加価値額により課する法人事業税をいう。

(2) 資本割…………資本金等の額により課する法人事業税をいう。

(3) 所得割…………所得により課する法人事業税をいう。

(4) 収入割…………収入金額により課する法人事業税をいう。

（MEMO）

1－2　事業税の事務所又は事業所　〔ランクＢ〕

１．概　要（法72の２①③）　重要度△

事業税は、法人の行う事業並びに個人の行う第１種事業、第２種事業及び第３種事業に対し、事務所又は事業所（以下「事務所等」という。）所在の道府県において、その法人及び個人に課する。したがって、事務所等所在の道府県が事業税の課税団体となる。

２．内国法人又は内国個人の事務所等（取通１－６）　重要度○

(1) 意　義

事務所等とは、それが自己の所有に属するものであるか否かにかかわらず、事業の必要から設けられた人的及び物的設備であって、そこで継続して事業が行われる場所をいう。

(2) 留意点

① 事業の必要性について

事務所等において行われる事業は、その個人又は法人の本来の事業の取引に関するものであることを必要とせず、本来の事業に直接、間接に関連して行われる附随的事業であっても社会通念上そこで事業が行われていると考えられるものは、事務所等として取り扱って差し支えない。

② 事業の継続性について

事務所等と認められるためには、その場所で行われる事業がある程度の継続性をもったものであることを要する。

３．外国法人等の事務所等（法72の２⑥）　重要度△

国内に本店又は主たる事務所等を有しない法人（以下「外国法人」という。）又は国内に主たる事務所等を有しない個人の行う事業に対する事業税の適用については、恒久的施設をもって、その事務所等とする。

４．恒久的施設（法72⑤、令10）　重要度△

次に掲げるものをいう。

ただし、我が国が締結した租税条約において次に掲げるものと異なる定めがある場合には、外国法人又は国内に主たる事務所等を有しない個人（以下「外国法人等」という。）については、その条約において定められたものとする。

(1)　国内にある支店、工場その他事業を行う次の場所

①　事業の管理を行う場所、支店、事務所、工場又は作業場

②　鉱山、採石場その他の天然資源を採取する場所

③　その他事業を行う一定の場所

(2)　国内にある長期建設工事現場等

建設、据付けの工事又はこれらの指揮監督の役務の提供（以下「建設工事等」という。）で1年を超えて行う場所。

建設工事等の期間を1年以内にすることを主たる目的として契約を分割して締結した場合などその他一定の場合には、建設工事等が1年を超えて行われるものであるかどうかの判定は、それらを合計した期間により判定する。

（注）除外する場所

外国法人等に属する物品若しくは商品又はそれらの在庫の保管、展示又は引渡しのためにのみ使用又は保有する施設等については、それが外国法人等の事業の遂行にとって準備的又は補助的な性格のものである場合には、上記(1)及び(2)に規定する場所に含まれないものとする。

ただし、国内にある上記(1)に掲げる場所（以下、「事業を行う一定の場所」という。）を使用し、又は保有する外国法人等が、その事業を行う一定の場所以外の場所（以下「他の場所」という。）においても事業上の活動を行う場合において、当該他の場所が外国法人等の恒久的施設に該当するなど一定の要件に該当するときは、適用されない。

(3)　国内にある代理人等

外国法人等が国内に置く自己のために契約を締結する権限のある者その他一定の者

5．個人事業税におけるみなし事務所等（法72の2⑦）　重要度△

個人が事務所等を設けないで行う第1種事業、第2種事業及び第3種事業については、その事業を行う者の住所又は居所のうちその事業と最も関係の深いものをもって、事務所等とみなして、事業税を課する。

1−3　事業税の非課税　〔ランクＢ〕

１．概　要　重要度△

事業税は、原則として法人の行うすべての事業並びに個人の行う第１種事業、第２種事業及び第３種事業に対して課されるが、一定の法人や事業等については、その性格から課税することが適当でないため、地方税法及び条例により非課税の規定が設けられている。

２．非課税法人（法72の４①）　重要度△

道府県は、国及び次の法人が行う事業に対しては、事業税を課することができない。

(1) 都道府県、市町村、特別区、これらの組合及び合併特例区等
(2) 地方独立行政法人
(3) 公共法人に該当する独立行政法人
(4) 国立大学法人等
(5) 株式会社日本政策金融公庫等
(6) 社会保険診療報酬支払基金、日本放送協会、日本中央競馬会等

３．非課税事業（法72の４②③）　重要度◎

道府県は、次の事業に対しては、事業税を課することができない。

(1) 林　業（取通３−２の２(1)）

土地を利用して養苗、造林、撫育及び伐採を行う事業をいい、伐採のみを行う事業は含まない。

(2) 鉱物の掘採事業

鉱物を掘採し、これを販売する事業をいう。

(3) 農事組合法人が行う農業

農地法の要件のすべてを満たす農事組合法人が行う農業をいう。

４．非課税所得等（法72の５①②）　重要度△

道府県は、次の法人の事業の所得又は収入金額で収益事業に係るもの以外のものに対しては、事業税を課することができない。

(1) 公益法人等に該当する独立行政法人
(2) 日本赤十字社、医療法に規定する社会医療法人、社会福祉法人、宗教法人、

学校法人等

(3) 弁護士会、司法書士会、税理士会等

(4) 法人である労働組合等

(5) 漁船保険組合等

(6) 市街地再開発組合等

(7) 損害保険料率算出団体等

(8) 管理組合法人等

(9) 一定の地縁団体

(10) 法人である政党等

(11) 特定非営利活動法人

(12) 人格のない社団等

５．道府県の条例による課税免除（法６①）

重要度△

道府県は、公益上その他の事由により課税を不適当とする場合には、課税をしないことができる。

６．国際運輸業の相互非課税

重要度△

船舶又は航空機の国際運航の事業から生ずる所得は、それぞれの属する国において統一的に課税を行うとともに、他国の国際運輸業に対しては、相互に非課税の措置を講ずることが条約等により定められている。

1－4　事業税の事業年度　〔ランクC〕

1．概　要　重要度△

法人事業税の課税標準は、法人の継続する活動を一定期間に区切りこれを単位に計算する。この一定期間を定めたものが事業年度であり、基本的には法人税の事業年度と同じである。

2．通常の場合　重要度△

(1) 法令等で定めがある場合（法72の13①）

法令、定款、寄附行為、規則若しくは規約（以下「法令等」という。）に定める事業年度その他これに準ずる期間（以下「事業年度等」という。）をいう。

(2) 法令等で定めがない場合

① 人格のない社団等以外の法人（法72の13②）

法令等で事業年度等を定めていない法人については、法人税法の規定によりその法人が政府に届け出、又は政府が指定した期間をもって、事業年度とする。

② 人格のない社団等（法72の13③）

法令等で事業年度等を定めていない人格のない社団等については、法人税法の規定によりその人格のない社団等が政府に届け出た期間、又はその年の1月1日から12月31日までの期間をもって、事業年度とする。

(3) 1年を超える場合（法72の13④）

上記2．(1)の期間が1年を超える場合には、その期間をその開始の日から1年ごとに区分した各期間（最後に1年未満の期間を生じたときは、その期間）とする。

3．事業年度の特例（法72の13）　重要度△

次の事実が生じた場合には、その事実が生じた法人の事業年度は、上記2．(1)の規定にかかわらず、それぞれに定める日に終了し、これに続く事業年度は、次の(2)又は(5)に掲げる事実が生じた場合を除き、同日の翌日から開始するものとする。

(1) 内国法人が事業年度の中途において解散（合併による解散を除く。）**をしたこと**

・・・・・その解散の日

(2) 法人が事業年度の中途において合併により解散したこと

・・・・・その合併の日の前日

(3) 公益法人等又は人格のない社団等が事業年度の中途において新たに収益事業を開始したこと（人格のない社団等にあっては、上記２.(2)②の場合を除く。）

・・・・・その開始した日の前日

(4) 次に掲げる事実・・・・・その事実が生じた日の前日

① 非課税法人（公共法人。以下同じ。）が事業年度の中途において公益法人等で収益事業を行うものに該当することとなったこと。

② 非課税法人又は公益法人等が事業年度の中途において非課税法人及び公益法人等以外の法人（人格のない社団等を除く。）に該当することとなったこと。

③ 非課税法人及び公益法人等以外の法人（人格のない社団等を除く。）が事業年度の中途において公益法人等に該当することとなったこと。

(5) 清算中の法人の残余財産が事業年度の中途において確定したこと

・・・・・その残余財産の確定の日

(6) 清算中の内国法人が事業年度の中途において継続したこと

・・・・・その継続の日の前日

(7) 恒久的施設を有しない外国法人が事業年度の中途において恒久的施設を有することとなったこと

・・・・・その有することとなった日の前日

(8) 恒久的施設を有する外国法人が事業年度の中途において恒久的施設を有しないこととなったこと

・・・・・その有しないこととなった日

(MEMO)

テーマ2

法人事業税の税額算定

2−1　所得割の課税標準である各事業年度の所得の算定方法　〔ランクA〕

1．課税標準の区分（法72の12）　重要度◎

法人事業税の課税標準は、次の事業税の区分に応じ、それぞれに定めるものによる。

(1) 付加価値割……各事業年度の付加価値額

(2) 資本割…………各事業年度の資本金等の額

(3) 所得割…………各事業年度の所得

(4) 収入割…………各事業年度の収入金額

2．各事業年度の所得の算定方法（法72の23①）　重要度◎

各事業年度の所得は、各事業年度の益金の額から損金の額を控除した金額によるものとし、地方税法又は政令で特別の定めをする場合を除くほか、その各事業年度の法人税の課税標準である所得の計算の例により算定する。

3．法人税の計算の例によらない項目　重要度◎

(1) 海外投資等損失準備金制度の一部不適用（法72の23②、令21の6）

法人税では、青色申告法人につきこの制度を認めているが、事業税の各事業年度の所得の計算では、その例によらない。（法施行地において行う資源開発事業等に対する特定株式等に係る部分を除く。）

(2) 社会保険診療等に係る所得の課税除外（法72の23②）

法人税では、医療法人の社会保険診療等については所得計算の特例があるが、事業税の各事業年度の所得の計算では、医療法人又は医療施設に係る事業を行う一定の農業協同組合連合会が社会保険診療等につき支払を受けた金額は益金の額に算入せず、また、それらに係る経費は損金の額に算入しない。

(3) 繰越欠損金の損金算入の特例（令21）

法人税では、一定要件のもとその事業年度に生じた欠損金について繰戻し還付を受けるか、繰越控除をするかは法人の任意としているが、事業税の各事業年度の所得の計算では、すべて繰越控除をする。

(4) 所得税額等の損金不算入（令21の２の２）

法人税では、法人が納付した所得税額及び復興特別所得税額を損金の額に算入するか、損金の額に算入せず税額控除するかは法人の任意としているが、事業税の各事業年度の所得の計算では、すべて損金の額に算入しない。

(5) 寄附金の損金算入限度額の調整（令21の３）

寄附金は反対給付のない支出であるため、法人税では一定の損金算入限度額の計算が必要となるが、事業税の各事業年度の所得の計算では、計算の複雑化を防止するため法人税の寄附金の損金算入限度額をそのまま用いる。

(6) 外国税額の損金算入の調整（令21の５）

法人税では、内国法人が外国で納付した法人税に相当する税額を損金の額に算入するか、損金の額に算入せず税額控除するかは法人の任意としているが、事業税の各事業年度の所得の計算では、外国の事業に帰属する所得以外の所得に対して課された外国税額は、損金の額に算入する。

(7) 残余財産確定事業年度の法人事業税の損金不算入（法72の23②）

法人税では、残余財産確定事業年度において法人事業税を損金の額に算入するが、法人事業税の計算では、損金の額に算入しない。

(8) その他一定のもの

2−2　外形標準課税の対象となる法人の課税標準の算定方法　〔ランクA〕

１．概　要　重要度△

事業税の物税としての性格を明確にし、道府県税の税収の安定化等を図るため、一定の法人については、所得に対する単一課税によらず、外形標準課税により法人事業税を課することとしている。

２．外形対象法人　重要度◎

外形標準課税の対象となる法人（以下「外形対象法人」という。）とは、電気供給業、ガス供給業（一定のものを除く。）、保険業及び貿易保険業以外の事業を行う法人（公益法人等、特別法人及び人格のない社団等その他一定の法人を除く。）のうち資本金の額又は出資金の額が１億円を超えるものをいう。

３．課税区分（法72の２①）　重要度◎

外形対象法人に対しては、付加価値割額、資本割額及び所得割額の合算額により、法人事業税を課する。

４．課税標準の区分（法72の12）　重要度△

法人事業税の課税標準は、外形対象法人にあっては次に定めるものによる。

(1)　付加価値割……各事業年度の付加価値額
(2)　資本割…………各事業年度の資本金等の額
(3)　所得割…………各事業年度の所得

５．付加価値割の課税標準の算定方法（法72の14）　重要度◎

各事業年度の付加価値額は、各事業年度の収益配分額（報酬給与額、純支払利子及び純支払賃借料の合計額をいう。）と各事業年度の単年度損益との合計額による。

(1)　報酬給与額

①　原　則（法72の15①）

各事業年度の報酬給与額は、次の金額（法人税の所得の計算上政令で定める一定のものを除き、損金の額に算入されるものに限る。）の合計額による。

イ　法人が各事業年度においてその役員又は使用人に対する報酬、給料、賃金、賞与、退職手当その他これらの性質を有する給与として支出する金額の合計額

ロ　法人が各事業年度においてその役員又は使用人のために支出する確定給付企業年金の掛金等の合計額

② 労働者派遣契約に基づき労働者派遣の役務の提供を受けた法人

（法72の15②一）

（上記①イ及びロの合計額）＋（労働者派遣の役務の提供の対価としてその労働者派遣をした者に支払う金額）× $\frac{75}{100}$

③ 労働者派遣契約に基づき労働者派遣をした法人（法72の15②二）

（上記①イ及びロの合計額）－（労働者派遣の対価としてその労働者派遣の役務の提供を受けた者から支払を受ける金額）× $\frac{75}{100}$（注）

（注）派遣労働者に係る上記①イ及びロの合計額を限度とする。

(2) 純支払利子（法72の16①、令20の２の６、20の２の７）

各事業年度の純支払利子は、各事業年度の支払利子の額の合計額からその合計額を限度として各事業年度の受取利子の額の合計額を控除した金額による。

（注１）法人税の所得の計算上政令で定める一定のものを除き、損金の額又は益金の額に算入されるものに限る。

（注２）利子には、手形の割引料その他経済的な性質が利子に準ずるものを含む。

(3) 純支払賃借料（法72の17）

各事業年度の純支払賃借料は、各事業年度の支払賃借料の合計額からその合計額を限度として各事業年度の受取賃借料の合計額を控除した金額による。

（注１）法人税の所得の計算上政令で定める一定のものを除き、損金の額又は益金の額に算入されるものに限る。

（注２）支払賃借料とは、法人が各事業年度において土地又は家屋の賃借権その他の土地又は家屋の使用又は収益を目的とする権利で、その存続期間が１月以上であるもの（以下「賃借権等」という。）の対価として支払う金額をいう。

（注３）受取賃借料とは、法人が各事業年度において賃借権等の対価として支払を受ける金額をいう。

(4) 単年度損益

① 内　容（法72の18）

各事業年度の単年度損益は、各事業年度の益金の額から損金の額を控除した金額によるものとし、地方税法又は政令で特別の定めをする場合を除くほか、その各事業年度の法人税の課税標準である所得の計算の例によって算定する。

② 法人税の計算の例によらない項目

イ　青色欠損金及び災害損失金の繰越控除（法72の18）

法人税では、青色欠損金又は災害損失金を各事業年度の損金の額に算入するが、単年度損益の計算では、その例によらない。

ロ　海外投資等損失準備金制度の一部不適用（法72の18、令20の２の18）

法人税では、青色申告法人につきこの制度を認めているが、単年度損益の計算ではその例によらない。（法施行地において行う資源開発事業等に対する特定株式等に係る部分を除く。）

ハ　所得税額等の損金不算入（令20の２の13）

法人税では、法人が納付した所得税額及び復興特別所得税額を損金の額に算入するか、損金の額に算入せず税額控除するかは法人の任意としているが、単年度損益の計算では、すべて損金の額に算入しない。

ニ　寄附金の損金算入限度額の調整（令20の２の15）

単年度損益の計算では、法人税の寄附金の損金算入限度額をそのまま用いる。

ホ　外国税額の損金算入の調整（令20の２の17）

法人税では、内国法人が外国で納付した法人税に相当する税額を損金の額に算入するか、損金の額に算入せず税額控除するかは法人の任意としているが、単年度損益の計算では、外国の事業に帰属する所得以外の所得に対して課された外国税額は、損金の額に算入する。

ヘ　その他一定のもの

(5) 雇用安定控除

①　内容（法72の20①②）

その事業年度の収益配分額のうちにその事業年度の報酬給与額の占める割合が100分の70を超える法人の付加価値割の課税標準の算定は、その事業年度の付加価値額から雇用安定控除額を控除する。

（注）$$\text{雇用安定控除額}=\left(\begin{array}{c}\text{その事業年度の}\\\text{報酬給与額}\end{array}\right)-\text{その事業年度の収益配分額}\times\frac{70}{100}$$

②　特定内国法人の場合（法72の20③）

上記①における収益配分額又は報酬給与額は、特定内国法人にあっては、その特定内国法人の事業の収益配分額又は報酬給与額の総額から外国の事業に帰属する収益配分額又は報酬給与額を控除した金額による。

６．資本割の課税標準の算定方法　重要度◎

(1) 原　則（法72の21①）

①　各事業年度の資本金等の額は、各事業年度終了の日における法人税法に規定する資本金等の額とその事業年度前の各事業年度（以下「過去事業年度」という。）のイの金額の合計額から過去事業年度のロ及びハの合計額を控除した金額に、その事業年度中のイの金額を加算し、これからその事業年度中のハの金額を減算した金額との合計額とする。

ただし、清算中の法人については、一定の場合を除き、その金額は、ないものとみなす。

イ　平成22年４月１日以後に、会社法の規定により一定の剰余金を資本金とし又は利益準備金の額の全部若しくは一部を資本金とした金額

ロ　平成13年4月１日から平成18年４月30日までの間に、資本又は出資の減少（金銭その他の資産を交付したものを除く。）による資本の欠損の塡補に充てた金額及び会社法整備法の規定による旧商法に規定する資本準備金による資本の欠損の塡補に充てた金額

ハ　平成18年５月１日以後に、会社法に規定する一定の剰余金を総務省令で定める損失の塡補に充てた金額

②　資本金の額及び資本準備金の額の合算額に満たない場合（法72の21②）

上記①により計算した金額が、各事業年度終了の日における資本金の額及び資本準備金の額の合算額又は出資金の額に満たない場合には、資本割の課税標準である各事業年度の資本金等の額は、各事業年度終了の日における資本金の額及び資本準備金の額の合算額又は出資金の額とする。

(2) 事業年度が１年に満たない場合（法72の21③）

資本金等の額にその事業年度の月数を乗じて得た額を12で除して計算した金額とする。この場合における月数は、暦に従い計算し、１月に満たないときは１月とし、１月に満たない端数を生じたときは切捨てる。

(3) 持株会社の場合（法72の21⑥）

持株会社（その会社が発行済株式等の総数の100分の50を超える数の株式等を直接又は間接に保有する特定子会社の株式等の帳簿価額が、その会社の総資産の帳簿価額に占める割合が100分の50を超える内国法人をいう。）の資本割の課税標準の算定は、次の算式による。

$$\text{資本金等の額} - \text{資本金等の額} \times \frac{\text{その事業年度及び前事業年度終了の時における特定子会社の株式等の帳簿価額}}{\text{その事業年度及び前事業年度の確定した決算に基づく貸借対照表の総資産の帳簿価額}}$$

(4) 資本金等の額が千億円を超える法人の場合（法72の21⑦⑧）

資本金等の額が千億円を超える法人の資本割の課税標準は、次の金額の区分によって資本金等の額を区分し、その区分に応ずる次に定める率を乗じて計算した金額の合計額とする。ただし、資本金等の額が１兆円を超える場合には、資本金等の額を１兆円とする。

①　千億円以下の金額……………………………100分の100

②　千億円を超え５千億円以下の金額……100分の50

③　５千億円を超え１兆円以下の金額……100分の25

なお、事業年度が１年に満たない場合には、上記①から③の千億円、５千億円、１兆円とあるのは、それぞれ次の算式により計算した金額とする。

$$\frac{\text{千億円、５千億円、１兆円} \times \text{その事業年度の月数}}{12}$$

(5) 収入金額課税事業をあわせて行う内国法人の場合（令20の2の26①）

所得等課税事業、収入金額等課税事業又は特定ガス供給業（以下「資本割が課される事業」という。）と収入金額課税事業をあわせて行う内国法人については、次の算式により計算した金額とする。

$$\text{資本金等の額} \times \frac{\text{（X）のうち資本割が課される事業に係る従業者の数}}{\text{国内及び外国の事務所等の従業者の数（X）}}$$

(6) 非課税事業をあわせて行う内国法人の場合（令20の2の26③）

次の算式により計算した金額とする。

$$\text{資本金等の額} \times \frac{\text{（Y）のうち資本割が課される事業に係る従業者の数}}{\text{国内の事務所等の従業者の数（Y）}}$$

(7) 特定内国法人の課税標準の算定方法

２－６の３．参照

(8) ２以上の資本割が課される事業をあわせて行う内国法人の場合（令20の2の26⑥）

それぞれの事業ごとに次の算式により計算した金額とする。

$$\text{資本金等の額} \times \frac{\text{（Z）のうちそれぞれの事業に係る従業者の数}}{\text{国内の事務所等の従業者の数（Z）}}$$

７．所得割の課税標準の算定方法（法72の23等）　重要度◎

２－１の２．、３．参照

(MEMO)

2−3　電気供給業及びガス供給業に係る収入割の課税標準の算定方法　〔ランクＡ〕

１．課税標準の区分（法72の12）　重要度△

電気供給業及びガス供給業（導管ガス供給業及び特定ガス供給業に限る。）が納付すべき収入割の課税標準は、各事業年度の収入金額による。

２．各事業年度の収入金額の算定方法　重要度◎

(1) 内　容（法72の24の２①）

各事業年度の収入金額は、電気供給業及びガス供給業にあっては、その各事業年度においてその事業について収入すべき金額の総額からその各事業年度における(2)の収入金額を控除した金額による。

(2) 収入金額から控除するもの（法72の24の２①、令22）

①　国又は地方団体から受けるべき補助金

②　固定資産の売却による収入金額

③　保険金

④　有価証券の売却による収入金額

⑤　不用品の売却による収入金額

⑥　受取利息及び受取配当金

⑦　工事負担金

電気供給業又はガス供給業を行う法人が、その事業に必要な施設を設けるため、電気又はガスの需要者その他その施設により便益を受ける者から収納する金額

⑧　他の収入金額課税法人からの融通電気・ガス

電気供給業又はガス供給業を行う法人が、収入金額課税される他の電気供給業又はガス供給業を行う法人から電気又はガスの供給を受けて供給を行う場合の、その供給を受けた電気又はガスに係る収入金額のうち、当該他の法人から供給を受けた電気又はガスの料金としてその法人が支払うべき金額に相当する収入金額

⑨　電気事業者による再生可能エネルギー電気の利用の促進に係る一定の賦課金

⑩　他の所得等課税法人からの融通ガス

ガス供給業を行う法人が、可燃性天然ガスの掘採事業を行う法人から可燃性天然ガスを購入して供給を行う場合（上記⑧に該当する場合を除く。）の、その購入した可燃性天然ガスに係る収入金額のうち、その可燃性天然ガスに係る鉱産税の課税標準額に相当する金額

⑪　自社掘採可燃性天然ガスの鉱産税の課税標準額

ガス供給業と可燃性天然ガスの掘採事業とをあわせて行う法人が掘採した可燃性天然ガスに係る収入金額のうち、その可燃性天然ガスに係る鉱産税の課税標準額に相当する金額

⑫　損害賠償金

⑬　投資信託に係る収益分配金

⑭　社宅貸付料等

(3)　電気供給業における託送供給の料金（法附則９⑧）

電気供給業を行う法人の次に掲げる場合における収入金額は、当分の間上記(2)に追加する。

①　収入金額課税される他の電気供給業を行う法人から電気事業法に規定する託送供給を受けて電気の供給を行うとき。

②　当該法人が配電事業を行う場合において、一般送配電事業を行う法人の供給区域内において配電事業に係る電気工作物を譲り受け等をして託送供給を行い、かつ、その一般送配電事業者に対して配電事業に係る定期支払額を支払うとき。

③　当該法人が一般送配電事業を行う場合において、配電事業を行う法人が当該法人の供給区域内において配電事業に係る電気工作物を当該法人から譲り受け等して託送供給を行い、かつ、当該法人がその配電事業を行う法人に対し配電事業に係る定期支払額を支払うとき。

(4)　ガス供給業における託送供給の料金（法附則９⑩）

ガス供給業（導管ガス供給業及び特定ガス供給業をいう。）を行う法人が、収入金額課税される他のガス供給業を行う法人から、ガス事業法に規定する託送供給を受けてガスの供給を行う場合の、その供給に係る収入金額のうち、託送供給の料金としてその法人が支払うべき金額に相当する収入金額は、当分の間、上記(2)に追加する。

(5)　廃炉等実施認定事業者の一定の交付金（法附則９⑱）

廃炉等実施認定事業者が小売電気事業者又は一般送配電事業者から交付される廃炉等積立金として積み立てる金銭に相当する収入金額は、当分の間、収入金額から控除するものに追加する。

(6)　卸電力市場における自己約定する場合の電力料金（法附則９⑲）

電気供給業を行う法人が、卸電力取引所を介して自らが供給を行った電気の供給を受けて電気の供給を行う場合における収入金額は、当分の間収入金額から控除するものに追加する。

(7)　その他一定のもの

2−4　保険業及び貿易保険業に係る収入割の課税標準の算定方法　〔ランクB〕

１．課税標準の区分（法72の12）　重要度△

保険業及び貿易保険業が納付すべき収入割の課税標準は、各事業年度の収入金額による。

２．生命保険会社等の各事業年度の収入金額の算定方法（法72の24の２②）　重要度◎

(1) 内　容

各事業年度の収入金額は、保険業を行う法人のうち保険業法に規定する生命保険会社又は外国生命保険会社等（以下「生命保険会社等」という。）にあっては、その生命保険会社等が契約した次の保険の区分に応じ、それぞれ次に掲げる金額による。

(2) 区　分

①　個人保険（②に規定する団体保険以外の保険をいう。）

イ　貯蓄保険以外の個人保険……各事業年度の収入保険料（注１）$\times \frac{24}{100}$

（注１）再保険料として収入する保険料を除く。以下同じ。

ロ　貯蓄保険

個人保険のうち貯蓄を主目的とする保険で一定のものをいう。

……各事業年度の収入保険料 $\times \frac{7}{100}$

②　団体保険（普通保険約款において、団体の代表者を保険契約者とし、その団体に所属する者を被保険者とすることとなっている保険をいう。）

イ　団体年金保険以外の団体保険

……各事業年度の収入保険料（注２）$\times \frac{16}{100}$

（注２）被保険者が団体から脱退した場合に保険金以外の給付金を支払う定めのある生命保険につき収入した保険料については、その給付金に対応する部分の金額を控除した金額

ロ　団体年金保険

団体保険のうち、その団体に所属していた者に対する退職年金若しくは

退職一時金又はこれらに準ずる年金若しくは一時金の支払を目的とする保険をいう。

……各事業年度の収入保険料　× $\frac{5}{100}$

(3) **経過措置**（法附則９⑨）

当分の間、保険業法に規定する生命保険会社等が独立行政法人福祉医療機構法の規定により独立行政法人福祉医療機構と締結する保険契約に基づく各事業年度の収入保険料は、その生命保険会社等に係る上記**２．**(2)①イの各事業年度の収入保険料から控除する。

(4) **現金主義**（取通３－４の９の10(1)）

生命保険料は、現実に収入された事業年度の収入金額に算入する。したがって、法人が未収保険料や未経過保険料として経理している場合も、実際に収入された事業年度の収入金額に算入する。

３．損害保険会社等の各事業年度の収入金額の算定方法（法72の24の２③）

重要度◎

(1) **内　容**

各事業年度の収入金額は、保険業を行う法人のうち保険業法に規定する損害保険会社又は外国損害保険会社等（以下「損害保険会社等」という。）にあっては、その損害保険会社等が契約した次の保険の区分に応じ、それぞれ次に掲げる金額による。

(2) **区　分**

①　船舶保険（船舶を保険の目的とする保険をいう。）

……各事業年度の正味収入保険料 × $\frac{25}{100}$

②　運送保険（陸上運送中の運送品を保険の目的とする保険をいう。）及び貨物保険（商法に規定する保険をいう。）

……各事業年度の正味収入保険料 × $\frac{45}{100}$

③　自動車損害賠償責任保険（自動車損害賠償保障法に規定する保険をいう。）

……各事業年度の正味収入保険料 × $\frac{10}{100}$

④　地震保険（地震保険に関する法律で定める一定の要件を備える保険をいう。）

……各事業年度の正味収入保険料 × $\frac{20}{100}$

⑤　上記①から④以外の損害保険……各事業年度の正味収入保険料 $\times \frac{40}{100}$

(3) **用語の意義**（取通３－４の９の11）

①　船舶保険

航海に関して船舶自体に生ずべき損害のてん補を目的とする海上保険をいう。

②　運送保険

陸上又は湖川等の運送品に生ずべき損害のてん補を目的とする損害保険をいう。

③　貨物保険

航海上の事故による損害のてん補を目的とする海上保険をいう。

④　自動車損害賠償責任保険

自動車損害賠償責任を負うこととなった保有者及び運転者の損害のてん補を目的とする一定の保険をいう。

⑤　地震保険

特定の損害保険契約に付帯して締結される一定の保険をいう。

⑥　上記(2)①から④以外の損害保険

上記(3)①から④以外の火災、傷害、自動車、盗難、信用、硝子、風水害、競走馬、機関、航空機等の損害保険をいう。

４．少額短期保険業者の各事業年度の収入金額

（法72の24の２④）

重要度△

(1) **内　容**

各事業年度の収入金額は、保険業を行う法人のうち保険業法に規定する少額短期保険業者にあっては、その少額短期保険業者が契約した次の保険の区分に応じそれぞれ次に掲げる金額による。

(2) **区　分**

①　保険業法に規定する一定の生命保険等

各事業年度の正味収入保険料 $\times \frac{16}{100}$

②　保険業法に規定する一定の損害保険等

各事業年度の正味収入保険料 $\times \frac{26}{100}$

５．貿易保険業の各事業年度の収入金額（法72の24の２⑤）

重要度△

各事業年度の収入金額は、貿易保険業を行う株式会社日本貿易保険にあっては、次に掲げる金額による。

$$\text{各事業年度の正味収入保険料} \times \frac{15}{100}$$

６．正味収入保険料（取通３－４の９の12、３－４の９の13）

重要度△

次の算式により計算した金額をいう。

$$\left(\begin{array}{c}\text{元受及び受再保}\\\text{険の総保険料}\end{array} - \begin{array}{c}\text{保険料から控除}\\\text{すべき金額}\end{array} + \begin{array}{c}\text{再保険}\\\text{返戻金}\end{array}\right) - \left(\text{再保険料} + \begin{array}{c}\text{解約}\\\text{返戻金}\end{array}\right)$$

(1) 保険料から控除すべき金額とは、簡易火災保険の満期返戻金、海上保険の期末払戻金等で、解約以外の事由による保険料の払戻金をいうのであって、海上保険の利益払戻金のようなものは含まないものであること。この場合において元受保険者が再保険者から返戻されたこれらに対応する金額は、保険料から控除すべき金額から控除するものであること。

(2) 解約返戻金とは、中途解約、更新契約等による返戻金で保険契約が解除された場合既に収入した保険料のうちから契約者へ払い戻されるものであること。

2−5　法人事業税の課税標準の特例　〔ランクC〕

1．概　要　　重要度△

道府県の条例により、所得割のみが課される法人については、所得及び外形標準とを併せて用いることができる。

2．課税標準の特例（法72の24の４）　　重要度△

外形対象法人以外の法人の行う事業（電気供給業、ガス供給業（一定のガス供給業を除く。）、保険業及び貿易保険業を除く。）に対する事業税の課税標準は、事業の情況に応じ、所得と併せて、資本金額、売上金額、家屋の床面積又は価格、土地の地積又は価格、従業員数等を用いることができる。

（MEMO）

2－6　特定内国法人の課税標準の算定方法〔ランクB〕

1．概　要　　重要度△

法施行地外に事務所又は事業所（以下「事務所等」という。）を有する内国法人（以下「特定内国法人」という。）の課税標準の算定については、法人税と事業税との課税対象範囲の相違から次の定めがある。

2．付加価値割、所得割又は収入割の課税標準　　重要度○

(1) 原　則（法72の19、72の24、72の24の３）

特定内国法人の事業の付加価値額、所得又は収入金額の総額から法施行地外の事業に帰属する付加価値額、所得又は収入金額を控除して得た額とする。

(2) 例　外（令20の２の20①、21の９①、23①）

法施行地外の事業に帰属する付加価値額、所得又は収入金額の計算が困難であるときは、それぞれ次の算式により計算した金額をもって、その特定内国法人の法施行地外の事業に帰属する付加価値額、所得又は収入金額とみなす。

$$\frac{\text{付加価値額、所得又は収入金額の総額} \times \text{外国の事務所等の従業者の数（a）}}{\text{国内の事務所等の従業者の数} + \text{（a）}}$$

3．資本割の課税標準　　重要度○

(1) 原　則（法72の22①、令20の２の24①）

特定内国法人の資本金等の額から、法施行地外の事業の規模等を勘案して、次の算式により計算した金額を控除して得た額とする。

$$\text{資本金等の額} \times \frac{\text{その事業年度の法施行地外の事業に帰属する付加価値額}}{\text{その事業年度の付加価値額の総額（雇用安定控除適用前）}}$$

(2) 例　外（令20の２の24②）

特定内国法人（付加価値割の計算において上記２．(2)の適用があるものを除く。）について、次のいずれかに該当する場合には、資本金等の額から控除する金額は、上記３．(1)にかかわらず、次の算式により計算した金額とする。

$$\frac{\text{資本金等の額} \times \text{外国の事務所等の従業者の数（a）}}{\text{国内の事務所等の従業者の数} + \text{（a）}}$$

① 法施行地外の事業に帰属する付加価値額≦０

② 付加価値額の総額－法施行地外の事業に帰属する付加価値額≦０

③ $$\frac{\text{付加価値額の総額} - \text{法施行地外の事業に帰属する付加価値額}}{\text{付加価値額の総額}} < 50\%$$

４．用語の意義

重要度△

(1) 付加価値額又は所得の総額（令20の２の20②、21の９②）

外国の事業に帰属する所得以外の所得に対して課された外国税額を損金の額に算入しないで計算した金額とする。

(2) 事務所等の従業者の数（令20の２の20①③、20の２の24③、21の９③、23②）

①　その事業年度終了の日現在における事務所等の従業者の数による。

ただし、仮決算等による中間申告納付にあっては、中間期間を１事業年度とみなす。

②　従業者とは、事務所等に使用される者で原則として賃金等を支払われるものをいう。

2−7　課税事業と非課税事業をあわせて行う法人の課税標準の算定方法　〔ランクＢ〕

１．概　要　　重要度△

事業税では、鉱産税との二重課税排除のために、鉱物の掘採事業を非課税としているが、鉱物の掘採事業と精錬事業を一貫して行う法人がいることから、この場合の課税標準の算定方法を規定している。

２．鉱物の掘採事業と精錬事業とを一貫して行う法人の課税標準の算定　　重要度○

(1)　区分計算ができない場合（法72の24の５①、令24）

鉱物の掘採事業と精錬事業とを一貫して行う法人の事業税の課税標準とすべき付加価値額及び所得は、それぞれ次の算式により計算した金額とする。

①　自社鉱のみ精錬している場合

$$\text{付加価値額及び所得の総額} \times \frac{\text{生産品について収入すべき金額}\,(a) - \text{鉱産税の課税標準である鉱物の価格}\,(b)}{(a)}$$

②　他の者から買い入れた鉱物も精錬している場合

$$\text{付加価値額及び所得の総額} \times \frac{(a) - \left[\,(b) + \text{他の者から買い入れた鉱物の価格}\,(c)\,\right]}{(a) - (c)}$$

(2)　区分計算ができる場合（法72の24の５②③）

区分することができる場合には、その法人の精錬事業に係る事業税の課税標準とすべき付加価値額及び所得は、上記(1)にかかわらず、その区分して計算した付加価値額及び所得とする。

この場合には、その区分計算の方法について、事務所等所在地の道府県知事（分割法人にあっては、主たる事務所等所在地の道府県知事）の承認を受けなければならない。その区分計算の方法を変更しようとする場合も同様とする。

３．資本割の課税標準の算定方法（令20の2の26③）　重要度△

次の算式により計算した金額とする。

$$\text{資本金等の額} \times \frac{\text{（Y）のうち資本割が課される事業に係る従業者の数}}{\text{国内の事務所等の従業者の数（Y）}}$$

2−8　分割法人の分割基準　〔ランクA〕

1．意　義　重要度○

２以上の道府県に事務所又は事業所を設けて事業を行う法人は、事務所又は事業所所在のすべての道府県に事業税を申告納付しなければならない。この場合には、その法人について算定した課税標準額の総額を一定の基準により関係道府県に分割し、各関係道府県ごとに税額を算定するが、この一定の基準を「分割基準」という。

2．種　類（法72の48③）　重要度◎

次の事業の区分に応じ、課税標準額の総額を、それぞれの基準により按分する。

(1)　製造業

事務所又は事業所（以下「事業所等」という。）の従業者の数

(2)　電気供給業

次に掲げる事業の区分に応じ、それぞれ次に定めるところによる。

①　小売電気事業等（小売電気事業に準ずるものとして一定のものを含む。）

その２分の１に相当する額は事業所等の数、その２分の１に相当する額は事業所等の従業者の数

②　一般送配電事業、送電事業、配電事業及び特定送配電事業

イ　ロ以外の場合

その４分の３に相当する額は事業所等の所在する道府県において発電等用電気工作物と電気的に接続する電線路の電力の容量、その４分の１に相当する額は事業所等の固定資産の価額

ロ　事業所等の所在するいずれの道府県においても発電等用電気工作物と電気的に接続している電線路がない場合

事業所等の固定資産の価額

③　発電事業等（発電事業に準ずるものとして一定のものを含む。）及び特定卸供給事業

イ　ロ以外の場合

その４分の３に相当する額は事業所等の固定資産で発電所等の施設の用に供するものの価額、その４分の１に相当する額は事業所等の固定資産の価額

ロ　事業所等の固定資産で発電所等の施設の用に供するものがない場合
事業所等の固定資産の価額

(3) ガス供給業及び倉庫業

事業所等の固定資産の価額

(4) 鉄道事業及び軌道事業

事業所等が所在する道府県の軌道の延長キロメートル数

(5) その他の事業

その２分の１に相当する額は事業所等の数、その２分の１に相当する額は事業所等の従業者の数

３．内　容

重要度◎

(1) 固定資産の価額（法72の48④三、規６の２の２④）

①　事業年度終了の日現在の数値による。

②　固定資産の価額とは、その事業年度終了の日に貸借対照表に記載されている土地、家屋及び家屋以外の減価償却が可能な有形固定資産の価額とする。

(2) 電線路の電力の容量（法72の48④三）

事業年度終了の日現在の数値による。

(3) 軌道の延長キロメートル数（法72の48④三、取通３－９の５）

①　事業年度終了の日現在の数値による。

②　軌道の延長キロメートル数は、単線換算キロメートル数により、引込線及び遊休線並びに敷設線を含み、他の法人等の所有に係る専用線は含まない。

(4) 事業所等の数（法72の48④二）

事業年度に属する各月の末日現在の数値を合計した数値による。ただし、その事業年度中に月の末日が到来しない場合には、その事業年度終了の日現在の数値による。

(5) 従業者の数

①　原　則（法72の48④一）

事業年度終了の日現在の数値による。ただし、資本金の額又は出資金の額が１億円以上の製造業を行う法人の工場である事業所等については、その数値にその数値（奇数の場合には、その数値に１を加えた数値）の２分の１に相当する数値を加えた数値による。

②　例　外（法72の48⑤、令35）

次の事業所等については、それぞれの数を分割基準とする従業者の数とみなす。

イ　事業年度の中途に新設された事業所等

$$\text{事業年度終了の日現在の従業者の数} \times \frac{\text{新設された日からその事業年度終了の日までの月数}}{\text{その事業年度の月数}}$$

ロ　事業年度の中途に廃止された事業所等

$$\text{廃止の日の属する月の直前の月の末日現在の従業者の数} \times \frac{\text{その事業所等が所在していた月数}}{\text{その事業年度の月数}}$$

ハ　その事業年度に属する各月の末日現在の従業者の数のうち、最大であるものの数値が最小であるものの数値の２倍を超える事業所等

$$\text{その事業年度に属する各月の末日現在の従業者の数を合計した数} \div \text{その事業年度の月数}$$

③　従業者の意義（規６の２の２①）

従業者とは、俸給、給料、賃金、手当、賞与その他これらの性質を有する給与の支払を受けるべき者をいう。

(6)　仮決算等による中間申告納付の場合（法72の48⑦）

仮決算又は予定申告の例外規定により中間申告納付すべき場合には、その法人の中間期間を１事業年度とみなして、分割基準を適用する。

４．分割基準を異にする事業をあわせて行う場合　重要度○

(1)　原　則（法72の48⑧）

その分割法人の事業の課税標準額の総額については、これらの事業のうち主たる事業について定められた分割基準による。

(2)　例　外（法72の48⑨、⑩、⑪）

①　分割基準の異なる電気供給業を併せて行う場合

次に掲げる区分に応じそれぞれに定める分割基準による。

イ　一般送配電事業、送電事業又は配電事業と一般送配電事業、送電事業及び配電事業以外の事業とを併せて行う場合

上記２．(2)②に定める分割基準

ロ　発電事業と一般送配電事業、送電事業、配電事業及び発電事業以外の事業とを併せて行う場合

上記２．(2)③に定める分割基準

ハ　上記イ及びロ以外の場合

電気供給業のうち主たる事業について定められた分割基準

ニ　上記イからハの場合において、分割法人が電気供給業と電気供給業以外の事業とを併せて行うときは、課税標準額の総額の分割については、まず電気供給業又は電気供給業以外の事業のいずれを主たる事業とするかを判定するものとし、その判定により、電気供給業を主たる事業とするときは上記イからハの場合の区分に応じそれぞれに定める分割基準によるものとし、電気供給業以外の事業を主たる事業とするときは、その事業について定められた分割基準によるものとする。

②　鉄道事業等とその他の事業を併せて行う場合

鉄道事業又は軌道事業に係る部分についてはこれらの事業の分割基準により、その他の事業についてはその他の事業のうち主たる事業の分割基準により、政令で定めるところにより関係道府県ごとに課税標準額の総額を分割するものとする。

2－9　法人事業税の税率　〔ランクＡ〕

１．標準税率の意義（法１①五）　重要度○

標準税率とは、地方団体が課税する場合に通常よるべき税率で、その財政上の特別の必要があると認める場合には、これによることを要しない税率をいう。

２．標準税率　重要度◎

(1)　(2)以外の法人

①　内容

イ　外形対象法人（法72の24の７①一）

(a)　付加価値額……………………………………………………………100分の1.2

(b)　資本金等の額…………………………………………………………100分の0.5

(c)　所得………………………………………………………………………100分の1.0

ロ　特別法人（法72の24の７①二、法附則９の２）

所得のうち年400万円以下の金額……………………………… 100分の3.5

所得のうち年400万円を超える金額…………………………… 100分の4.9

（注）一定の協同組合等にあっては、所得のうち年10億円を超える金額については100分の5.7とする。

ハ　その他の法人（法72の24の７①三）

所得のうち年400万円以下の金額……………………………… 100分の3.5

所得のうち年400万円を超え年800万円以下の金額 ……… 100分の5.3

所得のうち年800万円を超える金額…………………………… 100分の7.0

ニ　分割法人の場合の留意点（法72の24の７⑤）

２以上の道府県において事務所又は事業所（以下「事務所等」という。）を設けて事業を行う法人の軽減税率の適用を受ける所得は、関係道府県に分割される前の所得によるものとする。

ホ　事業年度が１年未満の場合（法72の24の７⑥）

上記ロ及びハの規定の適用については、規定中年400万円、年800万円及び年10億円とあるのは、400万円、800万円及び10億円にその事業年度の月数を乗じて得た額を12で除して計算した金額とする。

② 軽減税率不適用法人

３以上の道府県において事務所等を設けて事業を行う法人で、資本金の額又は出資金の額が1,000万円以上のもの（以下「軽減税率不適用法人」という。）が行う事業に対する法人事業税の標準税率は、上記①にかかわらず、次の標準税率とする。

イ 特別法人（法72の24の７⑤一）

所得……………………………………………………………100分の4.9

（注）一定の協同組合等にあっては、所得のうち年10億円を超える金額については100分の5.7とする。

ロ その他の法人（法72の24の７⑤二）

所得……………………………………………………………100分の7.0

ハ 判定基準（法72の24の７⑧）

資本金の額又は出資金の額が1,000万円以上の法人であるかどうかの判定は、次の日の現況による。

(a) 各事業年度の所得（清算中の各事業年度の所得を除く。）を課税標準とする事業税……各事業年度終了の日

(b) 清算中の各事業年度の所得を課税標準とする事業税……解散の日

(c) 仮決算又は予定申告の例外規定により中間申告納付すべき事業税……その事業年度開始の日以後６月経過日の前日

③ 特別法人（法72の24の７⑦）

特別法人とは、農業協同組合、農業協同組合連合会、農事組合法人、消費生活協同組合、信用金庫、出資組合である商工組合（信用組合）、農林中央金庫、医療法人その他一定の法人をいう。

(2) 収入割が課される法人

① 電気供給業（次の②の法人を除く。）、導管ガス供給業、保険業及び貿易保険業を行う法人（法72の24の７②）

……収入金額の100分の1.0

② 小売電気事業等、発電事業等及び特定卸供給事業（法72の24の７③）

イ ロ以外の法人

(a) 収入金額…………………………………100分の0.75

(b) 付加価値額………………………………100分の0.37

(c) 資本金等の額……………………………100分の0.15

ロ 資本金の額又は出資金の額が１億円以下の法人その他一定の法人

(a) 収入金額…………………………………100分の0.75

(b) 所得………………………………………100分の1.85

③　特定ガス供給業（法72の24の７④）

イ　収入金額……………………………………100分の0.48

ロ　付加価値額…………………………………100分の0.77

ハ　資本金等の額………………………………100分の0.32

３．制限税率（法72の24の７⑧）　重要度○

道府県は、標準税率を超える税率で事業税を課する場合には、上記２．の標準税率に1.2（外形対象法人の所得割については1.7）を乗じて得た率を超える税率で課することができない。

４．課税標準の特例による場合（法72の24の７⑩）　重要度△

課税標準の特例による場合の税率は、一般の税率による場合の負担と著しく均衡を失することのないようにしなければならない。

５．税率の適用区分（法72の24の８）　重要度△

法人事業税の税率は、各事業年度終了の日現在の税率による。ただし、仮決算又は予定申告の例外規定により中間申告納付すべき事業税にあってはその事業年度開始の日以後６月を経過した日の前日現在の税率による。

テーマ3

法人事業税の手続

3－1　中間申告納付　〔ランクＡ〕

１．概　要（法72の24の12、１①八）　重要度△

法人事業税の徴収は、申告納付の方法によらなければならない。

申告納付とは、納税者がその納付すべき地方税の課税標準額及び税額を申告し、その申告した税金を納付することをいう。

２．中間申告納付を要しない場合（法72の26①⑧⑪、取通３－６の８）　重要度○

次の事業年度又は法人は、中間申告納付を要しない。

(1) 事業年度が６月以下の法人

(2) 新たに設立された内国法人（適格合併により設立されたものを除く。）の設立後最初の事業年度。ただし、その適格合併は、被合併法人のすべてが収益事業を行っていない非課税所得等の規定に掲げる法人であるものを除く。

(3) 非課税法人又は非課税所得等の規定に掲げる法人（収益事業を行っていないものに限る。）がその規定に掲げる法人以外の法人に該当することとなった事業年度

(4) 外国法人の新たに恒久的施設を有することとなった事業年度

(5) 公益法人等、人格のない社団等、特別法人及び一定の外国法人

(6) 法人税の中間申告書の提出を要しない法人（外形対象法人又は収入金額課税法人を除く。）

(7) 清算中の各事業年度

３．予定申告による中間申告納付　重要度○

(1) 原　則（法72の26①、72の48②）

① 内　容

事業を行う法人は、事業年度が６月を超える場合には、次の算式により計算した事業税額をその事業年度開始の日以後６月を経過した日（以下「６月経過日」という。）から２月以内に、事務所又は事業所（以下「事務所等」という。）所在の道府県に申告納付しなければならない。

$$\text{予定申告に係る事業税額} = \frac{\text{前事業年度の確定事業税額（注１）}}{\text{前事業年度の月数}} \times \text{中間期間（注2）の月数}$$

② 分割法人の場合

２以上の道府県において事務所等を設けて事業を行う法人（以下「分割法

人」という。）が上記①により関係道府県に申告納付すべき事業税額は、それぞれ関係道府県ごとに次の算式により計算した税額とする。

$$\text{予定申告に係る事業税額} = \frac{\text{関係道府県ごとの前事業年度の確定事業税額（注１）}}{\text{前事業年度の月数}} \times \text{中間期間の月数}$$

（注１）前事業年度の確定事業税額……６月経過日の前日までに前事業年度の事業税として納付した税額及び納付すべきことが確定した税額の合計額をいう。

（注２）その事業年度開始の日から６月経過日の前日までの期間

(2) 例　外（法72の48②）

中間申告納付を要する分割法人が、６月経過日の前日現在において次の①又は②に該当する場合には、関係道府県に申告納付すべき事業税額は、次の算式により計算した税額とすることができる。

① 関係道府県に所在する事務所等が移動その他の事由により前事業年度と異なる場合

② 分割基準の数値が前事業年度と著しく異なると認める場合

$$\left(\frac{\text{前事業年度の確定課税標準額（注３）}}{\text{前事業年度の月数}} \times \text{中間期間の月数}\right) \times \frac{\text{関係道府県ごとの分割基準の数値}}{\text{分割基準の総数}} \times \text{６月経過日の前日現在の税率}$$

（注３）前事業年度の確定課税標準額……前事業年度の確定事業税額の算定の基礎となった付加価値額、資本金等の額、所得又は収入金額の総額をいう。

４．仮決算による中間申告納付（法72の26①）

重要度○

中間申告納付を要する法人は、中間期間を１事業年度とみなして、その期間の付加価値額、資本金等の額、所得又は収入金額を計算した場合には、その計算した金額を課税標準として算定した事業税額が予定申告に係る事業税額を超えないときに限り、その付加価値額、資本金等の額、所得又は収入金額を課税標準として算定した事業税額を申告納付することができる。

５．みなす中間申告（法72の26⑤）

重要度△

中間申告納付を要する法人が、その提出期限内に中間申告納付しなかった場合には、その期間を経過した時において、事務所等所在地の道府県知事に対し上記３．(1)の予定申告による中間申告書の提出があったものとみなす。

この場合には、その法人は、その期限内にその提出があったものとみなされる申告書に係る事業税額を事務所等所在の道府県に納付しなければならない。

６．記載事項（法72の26④）　重要度△

中間申告書には、次の事項を記載しなければならない。

(1) 事業の種類

(2) 中間期間中に有していた事務所等の名称及び所在地

(3) 申告納付すべき事業税額

(4) その他必要な事項

７．添付書類（法72の26④、72の48①）　重要度△

(1) 仮決算による中間申告書には、納付すべき事業税の区分に応じ、定められた書類を添付しなければならない。

(2) 分割法人の上記３．(2)の予定申告の例外又は上記４．の仮決算による中間申告書には、課税標準の分割に関する明細書を添付しなければならない。

８．仮決算等の場合の分割基準（法72の48⑦）　重要度△

上記４．の仮決算又は上記３．(2)の予定申告の例外規定により中間申告納付すべき場合には、その法人の中間期間を１事業年度とみなして、分割基準を適用する。

(MEMO)

3−2　適格合併の場合の予定申告による中間申告納付　〔ランクB〕

1．原　則（法72の26②③、72の48②、取通3−6の11）　重要度△

(1) 内　容

適格合併（法人税法に規定する一定の合併をいう。以下同じ。）に係る合併法人は、次の算式により計算した予定申告に係る事業税額をその事業年度開始の日以後6月を経過した日（以下「6月経過日」という。）から2月以内に、事務所又は事業所（以下「事務所等」という。）所在の道府県に申告納付しなければならない。

① 吸収合併の場合

イ　合併法人の前事業年度に適格合併が行われた場合

$$\frac{A}{B} \times \text{中間期間の月数} + \frac{\text{合併法人の前事業年度開始の日から適格合併の日の前日までの月数}}{B} \times \text{中間期間の月数} \times \frac{C}{D}$$

ロ　合併法人の中間期間に適格合併が行われた場合

$$\frac{A}{B} \times \text{中間期間の月数} + \text{合併法人の中間期間のうち適格合併の日以後の期間の月数} \times \frac{C}{D}$$

（注）中間期間……その事業年度開始の日から6月経過日の前日までの期間をいう。

② 新設合併の場合

$$\frac{C}{D} \times \text{中間期間の月数} + \frac{C'}{D'} \times \text{中間期間の月数}$$

（注）A……合併法人の前事業年度の確定事業税額（合併法人の6月経過日の前日までに前事業年度の事業税として納付した税額及び納付すべきことが確定した税額の合計額をいう。）

B……合併法人の前事業年度の月数

C、C′……被合併法人の確定事業税額（被合併法人の各事業年度（その月数が6月に満たないものを除く。）の事業税額として合併法人の6月経過日の前日までに確定したもののうち、最も新しい事業年度に係る事業税額をいう。）

D、D′…C、C′の計算の基礎となった事業年度の月数

(2) 分割法人の場合

２以上の道府県において事務所等を設けて事業を行う法人（以下「分割法人」という。）が上記(1)により関係道府県に申告納付すべき事業税額は、それぞれ関係道府県ごとに計算した税額とする。

２．例　外（法72の48②、規６、取通３－６の11）　重要度△

中間申告納付を要する分割法人のうち適格合併に係る合併法人が、６月経過日の前日現在において次の(1)又は(2)に該当する場合には、関係道府県に申告納付すべき事業税額は、次の算式により計算した税額とすることができる。

(1) 関係道府県に所在する事務所等が移動その他の事由により前事業年度と異なる場合

(2) 分割基準の数値が前事業年度と著しく異なると認める場合

① 合併法人の前事業年度に適格合併が行われた場合

$$\left\{\left[\frac{A}{B}\times\text{中間期間の月数}\right]+\left[\frac{\text{合併法人の前事業年度開始の日から適格合併の日の前日までの月数}}{B}\times\text{中間期間の月数}\times\frac{C}{D}\right]\right\}\times\frac{\text{関係道府県ごとの分割基準の数値}}{\text{分割基準の総数}}\times\text{6月経過日の前日現在の税率}$$

② 合併法人の中間期間に適格合併が行われた場合

$$\left\{\left[\frac{A}{B}\times\text{中間期間の月数}\right]+\left[\text{合併法人の中間期間のうち適格合併の日以後の期間の月数}\times\frac{C}{D}\right]\right\}\times\frac{\text{関係道府県ごとの分割基準の数値}}{\text{分割基準の総数}}\times\text{6月経過日の前日現在の税率}$$

（注） A……合併法人の前事業年度の確定課税標準額（前事業年度の確定事業税額の算定の基礎となった付加価値額、資本金等の額、所得又は収入金額の総額をいう。）

B……合併法人の前事業年度の月数

C……被合併法人の確定課税標準額（被合併法人の確定事業税額の算定の基礎となった付加価値額、資本金等の額、所得又は収入金額の総額をいう。）

D……Ｃの計算の基礎となった事業年度の月数

3−3　確定申告納付　〔ランクＡ〕

１．概　要（法72の24の12、１①八）　重要度△

法人事業税の徴収は、申告納付の方法によらなければならない。

申告納付とは、納税者がその納付すべき地方税の課税標準額及び税額を申告し、その申告した税金を納付することをいう。

２．確定申告納付　重要度◎

(1) 内　容（法72の25①、72の28①）

事業を行う法人（清算中の法人を除く。）は、各事業年度の所得割等（注１）又は収入割等（注２）を各事業年度終了の日から２月以内に、確定した決算に基づき、事務所又は事業所（以下「事務所等」という。）所在の道府県に申告納付しなければならない。

この場合において、中間申告納付を要する法人の納付すべき事業税額は、その法人が確定申告書に記載した事業税額から中間申告書に記載した事業税額又はみなす中間申告により納付すべき事業税額を控除した事業税額とする。

（注１）外形対象法人については付加価値割、資本割及び所得割とし所得課税法人については所得割をいう。

（注２）次の法人の区分に応じ、それぞれに定める事業税

①　電気供給業（次の②及び③の法人を除く。）、ガス供給業のうち導管ガス供給業、保険業及び貿易保険業を行う法人……収入割

②　小売電気事業等、発電事業等及び特定卸供給事業で期末資本金の額又は出資金の額が１億円超の法人等並びに特定ガス供給業……収入割、付加価値割及び資本割

③　小売電気事業等、発電事業等及び特定卸供給事業で期末資本金の額又は出資金の額が１億円以下の法人等……収入割及び所得割

(2) 分割法人の場合（法72の48①）

２以上の道府県において事務所等を設けて事業を行う法人（以下「分割法人」という。）が申告納付する場合には、その事業に係る課税標準額の総額（軽減税率適用法人の場合には、所得の総額を年400万円以下の金額、年400万円を超え年800万円以下の金額及び年800万円を超える金額に区分した金額）を関係道府県に分割し、その分割した額を課税標準として、関係道府県ごとに事業税額を算定し、これを関係道府県に申告納付しなければならない。

(3) 還付充当（法72の28④）

中間申告納付を要する法人の確定申告書に記載された事業税額が、中間申告書に記載された、又は記載されるべきであった事業税額（以下「中間納付額」という。）に満たないとき、又はないときは、道府県は、その満たない金額に相当する中間納付額又は中間納付額の全額を還付し、又は未納に係る地方団体の徴収金に充当する。

この場合には、その法人は確定申告書にあわせて、還付の請求書を提出しなければならない。

３．納付税額がない場合（法72の25⑭、72の28③）　重要度△

事業を行う法人は、各事業年度について納付すべき事業税額がない場合にも、確定申告書を提出しなければならない。

４．記載事項（法72の25⑧⑨⑩）　重要度△

確定申告書には、次の事項を記載しなければならない。

(1) 事業の種類
(2) その事業年度中に有していた事務所等の名称及び所在地
(3) 各課税標準額
(4) 各事業税額
(5) その他必要な事項

５．添付書類（法72の25⑧⑨⑩、72の48①）　重要度△

(1) 確定申告書には、納付すべき事業税の区分に応じ、定められた書類を添付しなければならない。
(2) 分割法人の確定申告書には、課税標準の分割に関する明細書を添付しなければならない。

3－4　申告納付期限の延長　〔ランクＣ〕

１．条例による延長（法20の５の２、法72の27）　重要度△

道府県知事は、災害その他やむを得ない理由により、地方税法又は条例に定める申告等の期限までに申告等することができないと認めるときは、その道府県の条例の定めるところにより、その期限を延長することができる。

ただし、その延長された期限と中間申告納付の期限とが同一となる場合には、中間申告納付をすることを要しない。

２．災害等による延長　重要度△

(1)　内　容（法72の25②）

確定申告納付すべき法人が、災害その他やむを得ない理由（次の３．の理由を除く。）により決算が確定しないため、各事業年度の所得割等又は収入割等を各事業年度終了の日から２月以内に申告納付することができない場合には、事務所又は事業所（以下「事務所等」という。）所在地の道府県知事（２以上の道府県において事務所等を設けて事業を行う法人は、主たる事務所等所在地の道府県知事。以下同じ。）の承認を受け、その指定した日までに申告納付することができる。

(2)　申請手続（令24の３①）

上記(1)の承認を受けようとする法人は、その承認を受けようとする事業年度終了の日から45日以内に、その申告書の提出期限までに決算が確定しない理由等を記載した申請書を道府県知事に提出しなければならない。

３．会計監査等による延長　重要度△

(1)　内　容（法72の25③）

確定申告納付すべき法人が、定款等の定めにより又は特別の事情により、その事業年度以後の各事業年度終了の日から２月以内に決算についての定時総会が招集されない常況にあると認められる場合には、事務所等所在地の道府県知事の承認を受け、その事業年度以後の各事業年度の所得割等又は収入割等を各事業年度終了の日から３月以内（次に掲げる場合にはそれぞれに定める期間内）に申告納付することができる。

①　会計監査人を置いている場合で、かつ、定款等の定めによりその事業年度以後の各事業年度終了の日から３月以内に決算についての定時総会が招集されない常況にあると認められる場合（下記②に掲げる場合を除く。）

……その定めの内容を勘案し３月を超え６月を超えない範囲内において道府県知事が指定する月数の期間内

②　特別の事情があることによりその事業年度以後の各事業年度終了の日から３月以内に決算についての定時総会が招集されない常況にあることその他やむを得ない事情があると認められる場合

……道府県知事が指定する３月を超える月数の期間内

(2)　申請手続（令24の４②）

上記(1)の承認を受けようとする法人は、その承認を受けようとする事業年度終了の日までに、定款等の定め等を記載した申請書を道府県知事に提出しなければならない。

４．会計監査等による延長適用法人が災害等で決算が確定しない場合

重要度△

(1)　その事業年度につき災害等が発生した場合（法72の25⑥、令24の５）

①　内　容

上記３．の適用を受けている法人が、その事業年度（次の(2)の適用がある事業年度を除く。）につき災害その他やむを得ない理由により決算が確定しないため、上記３．の期限までに申告納付することができないと認められる場合には、上記２．の規定を準用する。

②　申請手続

上記①の承認を受けようとする法人は、上記３．の申告書の提出期限の到来する日の15日前までに、上記２．(2)の申請書を道府県知事に提出しなければならない。

(2)　その事業年度終了の日から２月以内に災害等が発生した場合（法72の25⑯）

上記３．の適用を受けている法人が、その事業年度終了の日から２月を経過した日前に災害その他やむを得ない理由が生じた場合には、その事業年度に限り、上記３．の適用がないものとみなして、上記１．及び２．の規定を適用することができる。

５．申請の却下及び承認

重要度△

(1) 申請却下（令24の３②、24の４⑦、24の５）

道府県知事は、申請書の提出があった場合において、その申請理由が相当でないと認めるときは、その申請を却下することができる。

(2) 通　知（令24の３③、24の４⑦、24の５）

道府県知事は、申請書の提出があった場合において、提出期限の延長又は却下の処分をするときは、その申請をした法人に対し、書面によりその旨を通知する。

(3) みなし承認（令24の３④、24の４⑦、24の５）

申請書の提出があった場合において、次のそれぞれの期限までに提出期限の延長又は却下の処分がなかったときは、その申請に係る指定を受けようとする日を承認を受けた指定日として提出期限の延長がされたものとみなす。

①　上記２．、４．(2)の場合……事業年度終了の日から２月以内

②　上記３．の場合……………事業年度終了の日から15日以内

③　上記４．(1)の場合…………上記３．の申告書の提出期限まで

(MEMO)

3−5　清算中の各事業年度の申告納付　〔ランクＣ〕

１．概　要（法72の24の12、１①八）　重要度△

法人事業税の徴収は、申告納付の方法によらなければならない。

申告納付とは、納税者がその納付すべき地方税の課税標準額及び税額を申告し、その申告した税金を納付することをいう。

２．清算中の各事業年度の申告納付（法72の29①、③）　重要度△

(1) 清算中の法人は、その清算中に事業年度（残余財産の確定の日の属する事業年度を除く。）が終了した場合には、その事業年度の付加価値額、所得又は収入金額（以下「収入金額等」という。）を解散していない法人の収入金額等とみなして、その事業年度の収入金額等及び事業税額を計算し、その税額があるときはその事業年度終了の日から２月以内にその事業年度の付加価値割、所得割又は収入割を事務所又は事業所（以下「事務所等」という。）所在の道府県に申告納付しなければならない。

(2) 残余財産の確定の日の属する事業年度が終了した場合においては、その事業年度の所得を解散していない法人の所得とみなして、その事業年度の所得及び事業税額を計算し、その税額があるときは、その事業年度終了の日から１月以内（その期間内に残余財産の最後の分配又は引渡しが行われるときは、その行われる日の前日まで）にその事業年度の所得割を事務所等所在の道府県に申告納付しなければならない。

３．納付すべき税額がない場合の申告義務（法72の29⑤）　重要度△

清算中の法人は、清算中の各事業年度について納付すべき事業税額がない場合にも、上記**２**．の申告書を提出しなければならない。

４．記載事項（法72の29②）　重要度△

上記**２**．の申告書には、次の事項を記載しなければならない。

(1) 事業の種類

(2) その事業年度中に有していた事務所等の名称及び所在地

(3) 各課税標準額

(4) 各事業税額

(5) その他必要な事項

５．申告期限の延長（法72の29②）

重要度△

申告納付期限の延長の規定は、上記２．(1)の申告納付について準用する。

６．添付書類（法72の29②、72の48①）

重要度△

(1) 上記２．の申告書には、納付すべき事業税の区分に応じ、定められた書類を添付しなければならない。

(2) 分割法人の上記２．の申告書には、課税標準の分割に関する明細書を添付しなければならない。

(MEMO)

テーマ4

法人事業税の是正措置

4−1　期限後申告納付及び修正申告納付　〔ランクB〕

1．概　要　重要度△

法人事業税は、申告納付制度によるが、申告が期限内に行われなかったり、申告した課税標準額又は事業税額に不足額を生ずることも考えられることから、期限後申告納付及び修正申告納付の制度が設けられている。

2．期限後申告納付（法72の31①）　重要度○

(1) 内　容

申告書を提出すべき法人は、その申告書の提出期限後においても、決定の通知があるまでは、申告納付することができる。

(2) みなす中間申告

中間申告納付を要する法人が、その提出期限内に中間申告納付しなかった場合には、その期間を経過した時において、予定申告による中間申告書の提出があったものとみなされるため、期限後申告納付の適用はない。

3．修正申告納付　重要度○

(1) 自主的修正申告納付（法72の31②）

申告書若しくは修正申告書を提出した法人又は更正若しくは決定を受けた法人は、その申告書若しくは修正申告書に記載した又はその更正若しくは決定に係る付加価値額、資本金等の額、所得若しくは収入金額又は事業税額について不足額がある場合（納付すべき事業税額がない旨の申告書を提出した法人にあっては、納付すべき事業税額がある場合）には、遅滞なく、修正申告書を提出するとともに、その修正により増加した事業税額を納付しなければならない。

(2) 義務的修正申告納付（法72の31③）

申告書を提出した法人（収入割のみを申告納付すべきものを除く。）は、上記(1)の規定によるほか、その申告に係る事業税の計算の基礎となった事業年度に係る法人税の課税標準について税務官署の更正又は決定を受けたときは、その税務官署が更正又は決定の通知をした日から１月以内に、その更正又は決定に係る課税標準を基礎として、修正申告書を提出するとともに、その修正により増加した事業税額を納付しなければならない。

４．分割法人の場合（法72の48①）

重要度△

２以上の道府県において事務所等を設けて事業を行う法人（以下「分割法人」という。）が修正申告納付する場合には、その事業に係る課税標準額の総額（軽減税率適用法人の場合には、所得の総額を年400万円以下の金額、年400万円を超え年800万円以下の金額及び年800万円を超える金額に区分した金額）を関係道府県に分割し、その分割した額を課税標準として、関係道府県ごとに事業税額を算定し、これを関係道府県に修正申告納付しなければならない。

4−2　更正の請求　〔ランクＢ〕

1．概　要　重要度△

法人事業税の是正措置として、既に確定した事業税額が過大である場合に、①納税者の権利の保護と②税務行政の円滑化の観点から、事業税の減額を請求する更正の請求の制度が認められている。

2．通常の場合（法20の９の３①）　重要度◎

申告書を提出した法人は、その申告書に記載した課税標準等若しくは税額等の計算が地方税に関する法令の規定に従っていなかったこと又はその計算に誤りがあったことにより、次のいずれかに該当する場合には、その申告書に係る事業税の法定納期限から５年以内に限り、道府県知事に対し、その申告に係る課税標準等又は税額等（更正があった場合には、その更正後の課税標準等又は税額等）につき、更正の請求をすることができる。

(1) その申告書の提出により納付すべき税額が過大であるとき
(2) その申告書に記載した欠損金額等が過少であるとき、又はその申告書に欠損金額等の記載がなかったとき
(3) その申告書に記載した還付金の額が過少であるとき、又はその申告書に還付金の額の記載がなかったとき

3．判決等があった場合（法20の９の３②）　重要度○

申告書を提出した法人又は決定を受けた法人は、次のいずれかに該当する場合には、上記**2**．にかかわらず、それぞれの日の翌日から起算して２月以内に、その該当することを理由として更正の請求をすることができる。

ただし、申告書を提出した法人については、その期間満了日が上記**2**．の期間満了日後に到来する場合に限る。

(1) その申告、更正又は決定に係る課税標準等又は税額等の計算の基礎となった事実に関する訴えについての判決（和解等を含む。）により、その事実がその計算の基礎としたところと異なることが確定したとき……その確定した日
(2) その申告、更正又は決定に係る課税標準等又は税額等の計算に当たって、その申告をし又は決定を受けた法人に帰属するものとされていた所得その他課税物件が他の者に帰属するものとする当該他の者に係る地方税の更正、決定又は賦課決定があったとき……その更正、決定又は賦課決定があった日

(3) その他事業税の法定納期限後に生じた上記(1)、(2)に類するやむを得ない理由があるとき……その理由が生じた日

４．法人事業税の特例

重要度◎

(1) 前事業年度分の更正等があった場合（法72の33①）

申告書に記載すべき付加価値額、資本金等の額、所得若しくは収入金額（以下「課税標準額」という。）又は事業税額につき、修正申告書を提出し、又は更正若しくは決定を受けた法人は、その修正申告書の提出又は更正若しくは決定に伴い、その修正申告又は更正若しくは決定に係る事業年度後の事業年度分の確定申告書に記載すべき課税標準額又は事業税額が過大となる場合には、その修正申告書を提出した日又は更正若しくは決定の通知を受けた日から２月以内に限り、道府県知事に対し、その課税標準額又は事業税額につき、更正の請求をすることができる。

(2) 法人税の更正等があった場合（法72の33②）

申告書又は修正申告書を提出した法人（収入割のみを申告納付すべきものを除く。）が、その申告又は修正申告に係る事業税の計算の基礎となった事業年度に係る法人税の課税標準について税務官署の更正又は決定を受けたことに伴い、その申告又は修正申告に係る付加価値額、資本金等の額若しくは所得（以下「収入金額を除く課税標準額」という。）又は事業税額が過大となる場合には、その税務官署が更正又は決定の通知をした日から２月以内に限り、道府県知事に対し、その収入金額を除く課税標準額又は事業税額につき、更正の請求をすることができる。

５．分割基準に誤りがあった場合（法72の48の２④）

重要度△

分割法人が主たる事務所又は事業所（以下「事務所等」という。）所在地の道府県知事に申告書若しくは修正申告書を提出した場合又は更正若しくは決定を受けた場合において、その申告若しくは修正申告又は更正若しくは決定に係る分割課税標準額の分割基準に誤りがあったこと（すべき分割をしなかった場合を含む。）により、分割課税標準額又は事業税額が過大である関係道府県があるときは、その法人は、その関係道府県知事に対し、その過大となった分割課税標準額又は事業税額につき、更正の請求をすることができる。

6．手　続（法20の9の3③、法72の33②、法72の48の2⑤）　重要度△

更正の請求をしようとする者は、その請求に係る更正前及び更正後の課税標準等又は税額等その他参考となるべき事項を記載した更正の請求書を道府県知事に提出しなければならない。

ただし、上記4．(1)又は(2)規定の適用を受ける場合においては、上記のほか、その修正申告書を提出した日若しくはその更正若しくは決定の通知を受けた日又は国の税務官署がその更正若しくは決定の通知をした日を記載しなければならない。

7．道府県知事の措置（法20の9の3④⑤）　重要度△

道府県知事は、更正の請求があった場合には、その請求に係る課税標準等又は税額等につき調査して、更正をし、又は更正をすべき理由がない旨をその請求した法人に通知しなければならない。

なお、道府県知事は、その更正の請求に係る事業税の徴収は原則として猶予しない。

8．虚偽の更正の請求に関する罪（法22の2、法72の38、法72の49）　重要度△

更正の請求書に偽りの記載をして道府県知事に提出した者その他一定の者は、1年以下の懲役又は50万円以下の罰金に処する。

(MEMO)

4−3　法人税の課税標準を基準とする所得割の更正又は決定　〔ランクC〕

１．概　要　　重要度△

法人事業税は申告納付制度によるが、法人が適正な申告を行うとは限らないので、道府県知事に対して更正又は決定の措置を執ることを認めている。

２．内　容　　重要度○

(1) 更　正（法72の39①）

道府県知事は、事業を行う法人で事業税の納税義務があるもの（法72条の41適用法人を除く。）が申告書又は修正申告書を提出した場合において、その申告又は修正申告（以下「申告等」という。）に係る所得割の課税標準である所得が、所得割の基準課税標準（注１）と異なることを発見したときは、その所得割の基準課税標準により、その申告等の計算の基礎となった所得及び所得割額を更正するものとし、申告書又は修正申告書に記載された所得割額の算定について誤りがあることを発見したときは、所得割額を更正するものとする。

（注１）所得割の基準課税標準

法人税の課税標準（注２）を基準として算定した所得割の課税標準である所得をいう。

（注２）法人税の課税標準

その法人の所得割の計算の基礎となった事業年度に係る法人税の申告若しくは修正申告又は更正若しくは決定において課税標準とされた所得をいう。

(2) 決　定（法72の39②）

道府県知事は、上記(1)の法人が申告書を提出しなかった場合（みなす中間申告を除く。）において、その法人のその事業年度に係る法人税の課税標準があるときは、その法人税の課税標準を基準として、その法人の所得割に係る所得及び所得割額を決定するものとする。

(3) 再更正（法72の39③）

道府県知事は、上記(1)、(2)又はこの(3)により所得及び所得割額を更正又は決定した場合において、法人税に係る更正又は修正申告があったことによりその更正又は決定の基準となった法人税の課税標準が増加し又は減少したときは、その増加し又は減少した法人税の課税標準を基準としてその所得割に係る所得及び所得割額を更正するものとし、その更正又は決定した所得割額の算定について誤りがあることを発見したときは、その所得割額を更正するものとする。

３．税務官署に対する更正又は決定の請求（法72の40①）　重要度○

道府県知事は、次の場合においては、国の税務官署に対し、法人税に係る更正又は決定をすべき事由を記載した書類を添えて、その更正又は決定をすべき旨を請求をすることができる。

この場合において、正当な事由がなくてその税務官署がその更正又は決定の請求を受けた日から３月以内に更正又は決定をしないときは、道府県知事は、その税務官署を監督する税務官署に更正又は決定をすべき旨を請求をすることができる。

(1) 更正の場合

法人が申告書又は修正申告書を提出した場合において、その申告又は修正申告に係る所得が過少であると認められる法人のその所得割の計算の基礎となった事業年度に係る法人税の課税標準について、その申告書の提出期限から１年を経過した日までに法人税に係る更正又は決定が行われないとき。

(2) 決定の場合

法人が申告書の提出期限までに申告書を提出しなかった場合（みなす中間申告を除く。）において、その法人のその所得割の計算の基礎となった事業年度に係る法人税の課税標準について、その法人が法人税の申告書を提出せず、かつ、その所得割に係る申告書の提出期限から１年を経過した日までに法人税に係る決定が行われないとき。

(3) 再更正の場合

道府県知事が、法人の所得割に係る所得又は所得割額を更正又は決定した場合において、その更正又は決定に係る所得が過少であると認められる法人の所得割の計算の基礎となった事業年度に係る法人税の課税標準について、その更正又は決定した日から１年を経過した日までに法人税に係る更正が行われないとき。

4．分割法人の場合

重要度△

(1) 主たる道府県知事が行うもの

① 課税標準額の総額の更正等（法72の48の２①）

分割法人の課税標準額の総額の更正又は決定は、主たる事務所等所在地の道府県知事が行うものとする。

② 分割基準の修正等（法72の48の２③）

主たる事務所等所在地の道府県知事は、分割法人が提出した申告書若しくは修正申告書に係る分割課税標準額の分割基準又はこの規定により修正若しくは決定した分割基準に誤りがあると認める場合（すべき分割をしなかった場合を含む。）には、これを修正し、分割法人が申告書を提出しなかった場合（みなす中間申告が適用される場合を除く。）には、その分割基準を決定するものとする。

③ 上記①、②を行った場合の措置（法72の48の２⑪⑫）

主たる事務所等所在地の道府県知事がした上記①又は②は、それぞれ関係道府県知事がしたものとみなす。主たる事務所等所在地の道府県知事は、上記①又は②を行った場合には、その旨を関係道府県知事に通知しなければならない。

(2) 関係道府県知事の行うもの（分割基準の修正等の請求）（法72の48の２⑥）

関係道府県知事は、分割基準について修正又は決定の必要があると認めるときは、その事由を記載した書類を添えて、主たる事務所等所在地の道府県知事に対し、分割基準の修正又は決定の請求をすることができる。

(3) 税務官署に対する更正等の請求（法72の40②）

分割法人の法人税の課税標準についての税務官署に対する更正又は決定の請求は、主たる事務所等所在地の道府県知事又は主たる事務所等所在地の道府県知事を経由して関係道府県知事が行うものとする。

5．通知（法72の42）

重要度△

道府県知事は、課税標準額又は事業税額を更正又は決定した場合には、遅滞なく、これを納税者に通知しなければならない。

6．還付充当（法72の41の４）

重要度△

事業税額の更正又は決定をした場合において、その事業税額が中間納付額に満たないときは、その満たない金額に相当する中間納付額を還付し、又は未納に係る地方団体の徴収金に充当する。

７．不足税額の徴収等（法72の44①）

重要度△

道府県の徴税吏員は、更正又は決定があった場合において、不足税額があるときは、その更正又は決定の通知をした日から１月を経過した日を納期限として、これを徴収しなければならない。

4−4　道府県知事の調査による所得割又は収入割の更正又は決定

〔ランクC〕

1．概　要

重要度△

法人事業税は申告納付制度によるが、法人が適正な申告を行うとは限らないので、道府県知事に対して更正又は決定の措置を執ることを認めている。

2．内　容

重要度○

(1) 更　正（法72の41①）

道府県知事は、次の(2)の法人（以下「法72条の41適用法人」という。）が申告書又は修正申告書を提出した場合において、その申告又は修正申告（以下「申告等」という。）に係る収入金額若しくは所得又は収入割額若しくは所得割額がその調査したところと異なるときは、次の法人の区分に応じ、それぞれに定めるものを更正するものとする。

① ②以外の法人…収入金額若しくは所得又は収入割額若しくは所得割額

② 小売電気事業等、発電事業等又は特定卸供給事業を行う法人のうち、次の(2)の②から⑥の法人又は小売電気事業等、発電事業等若しくは特定卸供給事業とその他の事業とを併せて行う法人以外の法人…収入金額又は収入割額

(2) 法72条の41適用法人

① 収入金額課税法人

② 社会保険診療等に係る所得の課税除外の適用を受ける医療法人等

③ 法施行地外に事務所等を有する内国法人（特定内国法人）

④ 法人税が課されない法人

⑤ 課税事業と非課税事業とをあわせて行う法人

⑥ 通算法人

(3) 決　定（法72の41②）

道府県知事は、法72条の41適用法人が申告書を提出しなかった場合（みなす中間申告を除く。）には、その調査によって、収入金額又は所得及び収入割額又は所得割額を決定するものとする。

(4) 再更正（法72の41③）

道府県知事は、上記(1)、(3)又はこの(4)により更正又は決定した収入金額若しくは所得又は収入割額若しくは所得割額について過不足額があることを知ったときは、その調査によって、これを更正するものとする。

３．仮装経理の場合の更正の特例（法72の41④）

重要度○

法72条の41適用法人が提出した確定申告書又は清算中の各事業年度の申告書に記載された各事業年度の所得又は収入金額のうちに事実を仮装して経理したところに基づく過大申告があるときは、道府県知事は、その事業年度の所得割又は収入割につき、その法人がその事業年度後の各事業年度の確定した決算においてその事実に係る修正の経理をし、かつ、その決算に基づく申告書を提出するまでの間は、更正をしないことができる。

４．同族会社の行為又は計算の否認（法72の43①）

重要度○

道府県知事は、法72条の41適用法人の課税標準額又は事業税額の更正又は決定をする場合において、同族会社の行為又は計算でこれを容認した場合には事業税の負担を不当に減少させる結果となると認められるものがあるときは、その行為又は計算にかかわらず、道府県知事の認めるところにより、その同族会社の課税標準額又は事業税額を計算することができる。

５．分割法人の場合

重要度△

⑴　主たる道府県知事が行うもの（法72の48の２①③⑪⑫）

４－３の４．⑴参照

⑵　関係道府県知事の行うもの

①　分割基準の修正等の請求（法72の48の２⑥）

４－３の４．⑵参照

②　課税標準額の総額についての更正等の請求（法72の48の２②）

関係道府県知事は、分割法人の課税標準額の総額について更正又は決定をする必要があると認めるときは、その事由を記載した書類を添えて、主たる事務所等所在地の道府県知事に対し、更正又は決定をすべき旨を請求をすることができる。

６．通知（法72の42）

重要度△

４－３の５．参照

７．還付充当（法72の41の４）

重要度△

４－３の６．参照

８．不足税額の徴収等（法72の44①）　重要度△

４－３の７．参照

(MEMO)

4−5　道府県知事の調査による付加価値割又は資本割の更正又は決定　〔ランクＣ〕

１．概　要　重要度△

法人事業税は申告納付制度によるが、法人が適正な申告を行うとは限らないので、道府県知事に対して更正又は決定の措置を執ることを認めている。

２．内　容　重要度○

(1) 更　正（法72の41の２①）

道府県知事は、次に掲げる法人（以下「外形対象法人等」という。）が申告書又は修正申告書を提出した場合において、その申告又は修正申告（以下「申告等」という。）に係る付加価値額若しくは資本金等の額又は付加価値割額若しくは資本割額がその調査したところと異なるときは、これを更正するものとする。

① 外形対象法人

② 小売電気事業等、発電事業等及び特定卸供給事業で収入割、付加価値割及び資本割が課される法人

③ 特定ガス供給業を行う法人

(2) 決　定（法72の41の２②）

道府県知事は、外形対象法人等が申告書を提出しなかった場合（みなす中間申告を除く。）には、その調査によって、付加価値額及び資本金等の額並びに付加価値割額及び資本割額を決定するものとする。

(3) 再更正（法72の41の２③）

道府県知事は、上記(1)、(2)又はこの(3)により更正又は決定した付加価値額若しくは資本金等の額又は付加価値割額若しくは資本割額について過不足額があることを知ったときは、その調査によって、これを更正するものとする。

３．仮装経理の場合の更正の特例（法72の41の２④）

重要度○

外形対象法人等が提出した確定申告書又は清算中の各事業年度の申告書に記載された各事業年度の付加価値額又は資本金等の額のうちに事実を仮装して経理したところに基づく過大申告があるときは、道府県知事は、その事業年度の付加価値割又は資本割につき、その法人がその事業年度後の各事業年度の確定した決算においてその事実に係る修正の経理をし、かつ、その決算に基づく申告書を提出するまでの間は、更正をしないことができる。

４．同族会社の行為又は計算の否認（法72の43①）

重要度○

道府県知事は、外形対象法人等の課税標準額又は事業税額の更正又は決定をする場合において、同族会社の行為又は計算でこれを容認した場合には事業税の負担を不当に減少させる結果となると認められるものがあるときは、その行為又は計算にかかわらず、道府県知事の認めるところにより、その同族会社の課税標準額又は事業税額を計算することができる。

５．分割法人の場合

重要度△

(1)　主たる道府県知事が行うもの（法72の48の２①③⑪⑫）

４－３の４．(1)参照

(2)　関係道府県知事の行うもの

①　分割基準の修正等の請求（法72の48の２⑥）

４－３の４．(2)参照

②　課税標準額の総額についての更正等の請求（法72の48の２②）

４－４の５．(2)②参照

６．所得割の決定と付加価値割及び資本割の決定の関係等（法72の41の３）

重要度△

(1)　道府県知事は、所得及び所得割額の決定と付加価値額及び資本金等の額並びに付加価値割額及び資本割額の決定をする場合には、これらの決定を併せてしなければならない。

(2)　道府県知事は、収入金額及び収入割額の決定と付加価値額及び資本金等の額並びに付加価値割額及び資本割額の決定をする場合には、これらの決定を併せてしなければならない。

(3)　道府県知事は、所得及び所得割額の決定と収入金額及び収入割額の決定をする場合には、これらの決定を併せてしなければならない。

７．通知（法72の42）

重要度△

４－３の５．参照

８．還付充当（法72の41の４）

重要度△

４－３の６．参照

９．不足税額の徴収等（法72の44①）

重要度△

４－３の７．参照

（MEMO）

4−6　不服申立て及び訴訟　〔ランクC〕

1．概　要　重要度△

事業税の課税について違法又は錯誤があった場合には、納税者の権利保護等の理由から、道府県知事に対する次のような不服申立ての制度が認められている。

2．審査請求　重要度△

(1) 期　間（行政不服審査法18①、②）

① 処分についての審査請求は、処分があったことを知った日の翌日から起算して３月以内にしなければならない。

ただし、正当な理由があるときは、この限りでない。

② 処分についての審査請求は、処分があった日の翌日から起算して１年を経過したときは、することができない。

ただし、正当な理由があるときは、この限りでない。

(2) 手　続（行政不服審査法19①②）

審査請求は、一定の場合を除き、審査請求人の氏名その他一定の事項を記載した審査請求書を提出しなければならない。

(3) 分割法人又は分割個人の場合（法19五・六・七）

①分割法人の課税標準の総額の更正若しくは決定又は分割基準の修正若しくは決定、②分割個人の課税標準とすべき所得の総額若しくは関係道府県が課税標準とすべき所得の決定に係る審査請求は、主たる事務所等所在地の道府県知事に対して行う。

3．訴　訟　重要度△

(1) 原　則（行政事件訴訟法８①）

審査請求に対する裁決につき不服があるものは、訴訟を提起することができる。

(2) 例　外（行政事件訴訟法８②）

次のいずれかに該当する場合は、裁決を経ないで、訴訟を提起することができる。

① 審査請求があった日から３カ月を経過しても裁決がないとき

② 処分の執行等により生ずる著しい損害を避けるために緊急の必要があるとき

③ その他正当な理由があるとき

テーマ５

個人事業税の税額算定

5−1　個人事業税の課税客体　〔ランクＣ〕

１．概　要（法72の２③）　重要度△

個人の行う事業については、その事業が、地方税法及び政令で定められている第１種事業、第２種事業及び第３種事業に該当する場合にのみ事業税が課される。

２．第１種事業（法72の２⑧、令10の３）　重要度△

(1)　物品販売業（動植物その他通常物品といわないものの販売業を含む。）
(2)　保　険　業
(3)　金銭貸付業
(4)　物品貸付業（動植物その他通常物品といわないものの貸付業を含む。）
(5)　不動産貸付業
(6)　製　造　業（物品の加工修理業を含む。）
(7)　電気供給業
(8)　土石採取業
(9)　電気通信事業（放送事業を含む。）
(10)　運　送　業
(11)　運送取扱業
(12)　船舶定係場業
(13)　倉　庫　業（物品の寄託を受け、これを保管する業を含む。）
(14)　駐車場業
(15)　請　負　業
(16)　印　刷　業
(17)　出　版　業
(18)　写　真　業
(19)　席　貸　業
(20)　旅　館　業
(21)　料理店業
(22)　飲食店業
(23)　周　旋　業
(24)　代　理　業
(25)　仲　立　業
(26)　問　屋　業

(27) 両　替　業
(28) 公衆浴場業（下記４．(24)を除く。）
(29) 演劇興行業
(30) 遊 技 場 業
(31) 遊 覧 所 業
(32) 商品取引業
(33) 不動産売買業
(34) 広　告　業
(35) 興 信 所 業
(36) 案　内　業
(37) 冠婚葬祭業

３．第２種事業（法72の２⑨、令12）

重要度△

第２種事業とは、次の事業で主として自家労力を用いて行うもの以外のものをいう。

(1)　畜　産　業（農業に付随して行うものを除く。）
(2)　水　産　業（小規模な水産動植物の採捕の事業として一定のものを除く。）
(3)　薪炭製造業

（注）主として自家労力を用いて行う事業（令11）
主として自家労力を用いて行う事業とは、事業を行う者又はその同居の親族の労力によってその事業を行った日数の合計がその事業のその年における延労働日数の２分の１を超えるものとする。

４．第３種事業（法72の２⑩、令13、13の２、14）

重要度△

(1)　医　　　業
(2)　歯 科 医 業
(3)　薬 剤 師 業
(4)　あん摩、マッサージ又は指圧、はり、きゅう、柔道整復その他の医業に類する事業（両眼の視力を喪失した者及び万国式試視力表により測定した両眼の矯正視力が0.06以下である者が行うものを除く。）
(5)　獣　医　業
(6)　装 蹄 師 業
(7)　弁 護 士 業
(8)　司法書士業
(9)　行政書士業

(10) 公 証 人 業

(11) 弁 理 士 業

(12) 税 理 士 業

(13) 公認会計士業

(14) 計 理 士 業

(15) 社会保険労務士業

(16) コンサルタント業（令15の２①）

継続して、他人の依頼に応じ、対価の取得を目的として、企業経営、科学技術その他専門的な知識又は能力を必要とする事項につき、調査又は研究を行い、これらの調査又は研究に基づく診断又は指導を行う事業とする。

(17) 設計監督者業

(18) 不動産鑑定業

(19) デザイン業（令15の２②）

継続して、対価の取得を目的として、デザインの考案及び図上における設計又は表現を行う事業とする。

(20) 諸芸師匠業

(21) 理　容　業

(22) 美　容　業

(23) クリーニング業

(24) 公衆浴場業（物価統制令の規定に基づき道府県知事が入浴料金を定める公衆浴場以外の公衆浴場を経営する事業を除く。）

(25) 歯科衛生士業

(26) 歯科技工士業

(27) 測 量 士 業

(28) 土地家屋調査士業

(29) 海事代理士業

(30) 印刷製版業

（MEMO）

5－2　個人事業税の第２種事業の範囲　〔ランクB〕

1. 概　要　重要度△

第２種事業は主として原始産業に属するものであり、３つの事業が規定されている。小規模なものは課税対象から除かれている。

2. 第２種事業の範囲（法72の２⑨、令12、取通３－２の１）　重要度◎

次の事業で主として自家労力を用いて行うもの以外のものをいう。

(1) **畜産業**（農業に付随して行うものを除く。）

家きん又は家畜の繁殖、育成及び畜産物の生産を目的とした事業をいう。

(2) **水産業**（小規模な水産動植物の採捕の事業として（注）書きに掲げるものを除く。）

海洋、河川、湖沼等により魚、貝、海藻類の捕獲採取、養殖及びこれらのものの加工をなす事業をいう。

（注）小規模な水産動植物採捕の事業（令11の２）

① 総トン数10トン未満の動力船等を使用して、又は漁船を使用しないで行う水産動植物の採捕の事業

② 漁具を定置して行う水産動植物の採捕の事業

(3) **薪炭製造業**

薪炭を製造販売する事業をいう。自己所有の原木を伐採して自ら薪炭を製造販売する場合に限らず、他から原木を仕入れて薪炭を製造販売するものも含む。

3. 主として自家労力を用いて行う事業（令11）　重要度○

主として自家労力を用いて行う事業とは、事業を行う者又はその同居の親族の労力によってその事業を行った日数の合計がその事業のその年における延労働日数の２分の１を超えるものとする。

(MEMO)

5−3　個人事業税の課税標準の算定方法　〔ランクA〕

１．課税標準（法72の49の11①②）　重要度△

(1) 個人事業税の課税標準は、その年度の初日の属する年の前年中における個人の事業の所得による。

(2) 個人が年の中途において事業を廃止した場合における事業税の課税標準は、上記(1)の所得によるほか、その年の１月１日から事業の廃止の日までの個人の事業の所得による。

２．所得の算定方法（法72の49の12①）　重要度◎

その年度の初日の属する年の前年中における個人の事業の所得又はその年の１月１日から事業の廃止の日までの個人の事業の所得は、それぞれその個人のその年度の初日の属する年の前年中における事業又はその年の１月１日から事業の廃止の日までの事業に係る総収入金額から必要な経費を控除した金額によるものとし、地方税法又は政令で特別の定めをする場合を除くほか、所得税の課税標準である所得につき適用される不動産所得及び事業所得の計算の例によって算定する。

３．所得税の計算の例によらない項目　重要度◎

(1) 不動産業者の土地譲渡益の分離課税に伴う調整（法72の49の12①）

所得税では、所有期間が５年以下の土地等で事業所得の基因となるものの譲渡による所得については、他の所得と分離して重課するが、事業税では、その例によらず、分離される前の事業所得により課税標準を算定する。

(2) 社会保険診療等に係る所得の課税除外（法72の49の12①）

所得税では、医療個人の社会保険診療等については所得計算の特例があるが、事業税では、医業、歯科医業、薬剤師業、あん摩その他の医業に類する事業を行う個人が社会保険診療等につき支払を受けた金額は総収入金額に算入せず、また、それらに係る経費は必要な経費に算入しない。

(3) 青色事業専従者等（法72の49の12②、③、④）

５－４参照

(4) 外国税額の必要な経費算入の調整（令35の３の２）

所得税では、内国個人が外国で納付した所得税に相当する税額を必要な経費に算入するか、必要な経費に算入せず税額控除するかは個人の任意としているが、事業税では、外国の事業に帰属する所得以外の所得に対して課された外国税額は、必要な経費に算入する。

(5) 青色申告特別控除の不適用（取通３－11の４）

所得税では、青色申告個人につき一定の特別控除を認めているが、事業税では、その例によらない。

４．損益の合算又は通算（法72の49の12⑤）　重要度○

個人の所得を計算する場合において、その個人が不動産所得を生ずべき事業と事業所得を生ずべき事業とをあわせて行っているときは、その不動産所得の計算上生じた所得又は損失とその事業所得の計算上生じた所得又は損失とを合算し、又は通算して算定する。

５．各種控除（法72の49の12⑥～⑮、法72の49の14①②）　重要度△

５－５参照

６．法施行地外に事務所等を有する内国個人の課税標準の算定方法　重要度△

(1) 原　則（法72の49の13）

その個人の事業の所得の総額から法施行地外の事業に帰属する所得を控除して得た額とする。

(2) 例　外（令35の３の10①）

法施行地外の事業に帰属する所得の計算が困難であるときは、次の算式により計算した金額をもって、その個人の法施行地外の事業に帰属する所得とみなす。

$$\frac{\text{所得の総額} \times \text{外国の事務所等の従業者の数（a）}}{\text{国内の事務所等の従業者の数} + \text{（a）}}$$

(3) 用語の意義

①　所得の総額（令35の3の10①②）

外国の事業に帰属する所得以外の所得に対して課された外国税額を必要な経費に算入しないで計算した金額とする。

②　事務所等の従業者の数（令35の3の10③）

イ　課税標準の算定期間の末日現在における事務所等の従業者の数による。

ロ　従業者とは、事務所等に使用される者で賃金を支払われるものをいう。

７．鉱物の掘採事業と精錬事業とを一貫して行う個人の課税標準の算定方法

重要度△

⑴　区分計算ができない場合（法72の49の16①、令35の３の12）

鉱物の掘採事業と精錬事業とを一貫して行う個人の事業税の課税標準とすべき所得は、次の算式により計算した金額とする。

①　自社鉱のみ精錬している場合

$$\text{所得の総額}\times\frac{\text{生産品について収入すべき金額}(\mathrm{a})-\text{鉱産税の課税標準である鉱物の価格}(\mathrm{b})}{(\mathrm{a})}$$

②　他の者から買い入れた鉱物も精錬している場合

$$\text{所得の総額}\times\frac{(\mathrm{a})-\left[(\mathrm{b})+\text{他の者から買い入れた鉱物の価格}(\mathrm{c})\right]}{(\mathrm{a})-(\mathrm{c})}$$

⑵　区分計算ができる場合（法72の49の16②③）

区分することができる場合には、その個人の精錬事業に係る事業税の課税標準とすべき所得は、上記⑴にかかわらず、その区分して計算した所得とする。

この場合には、その区分計算の方法について、事務所等所在地の道府県知事（分割個人にあっては、主たる事務所等所在地の道府県知事）の承認を受けなければならない。その区分計算の方法を変更しようとする場合にも、同様とする。

８．課税標準の特例（法72の49の15）

重要度△

個人事業税の課税標準は、事業の情況に応じ、所得によらないで、売上金額、家屋の床面積若しくは価格、土地の地積若しくは価格、従業員数等を課税標準とし、又は所得とこれらの課税標準とを併せ用いることができる。

(MEMO)

5−4　個人事業税の青色事業専従者等の取扱い〔ランクA〕

1．青色事業専従者

重要度◎

(1) 青色事業専従者給与に関する届出書を提出している場合（法72の49の12②）

事業を行う個人（所得税法に規定する青色申告書を提出することにつき国の税務官署の承認を受けている者に限る。）と生計を一にする親族でもっぱらその個人の行う事業に従事するもの（以下「青色事業専従者」という。）が、その事業から青色事業専従者給与に関する届出書に記載されている方法に従い、その記載されている金額の範囲内において給与の支払を受けた場合には、その給与の額をその個人の事業の所得の計算上必要な経費に算入する。

ただし、上記親族については、その年度の初日の属する年の前年の12月31日（年の中途においてその親族の死亡又はその事業の廃止があった場合には、その死亡又は廃止の時）において、年齢が15歳未満である者を除く。

(2) 青色事業専従者給与に関する届出書を未提出の場合

（法72の49の12②、令35の３の９）

① 内　容

前年分の所得税につき納税義務を負わないと認められたこと、又は青色事業専従者を控除対象配偶者又は扶養親族としたことにより、青色事業専従者給与に関する届出書を提出しなかった事業税の納税義務者に係る青色事業専従者が、その事業から給与の支払を受けた場合において、次の要件を満たすときも、上記(1)と同様とする。

② 要　件

その年分につき個人事業税の申告（その申告期限後において事業税の納税通知書が送達される時までに申告している場合を含む。）をしていること（青色事業専従者等に関する事項についての申告がないことについて、やむを得ない事情があると道府県知事が認めるときを含む。）

2．白色事業専従者（法72の49の12③④）

重要度◎

事業を行う個人（所得税法に規定する青色申告書を提出することにつき国の税務官署の承認を受けている者を除く。）と生計を一にする親族でもっぱらその個人の行う事業に従事するもの（以下「事業専従者」という。）がある場合には、上記１．(2)②の要件を満たす場合に限り、各事業専従者について、次の金額のうちいずれか低い金額をその個人の事業の所得の計算上必要な経費とみなす。

ただし、上記親族については、その年度の初日の属する年の前年の12月31日（年の中途においてその親族の死亡又はその事業の廃止があった場合には、その死亡又は廃止の時）において、年齢が15歳未満である者を除く。

① 50万円（事業を行う個人の配偶者については86万円）

② $$\frac{\text{その個人の事業の所得の金額（この規定を適用しないで計算した金額）}}{\text{事業専従者の数} + 1}$$

３．青色事業専従者等の範囲（令35の３の９、７の５）

重要度○

(1) 原　則

その年を通じて６月を超える期間その事業にもっぱら従事する者をいう。

(2) 例　外

青色事業専従者については、次のいずれかに該当するときは、その事業に従事することができると認められる期間を通じて、その２分の１に相当する期間を超える期間その事業にもっぱら従事すれば足りる。

① その事業が年の中途における開業、廃業、休業又はその事業が季節営業であることその他の理由により、その年中を通じて営まれなかったこと

② その事業に従事する者の死亡、長期にわたる病気、婚姻その他相当の理由により、その年中を通じてその個人と生計を一にする親族としてその事業に従事することができなかったこと

４．青色事業専従者等に該当しない者（令35の３の９）

重要度○

次の者は、事業に従事していても、その該当する期間は、その事業にもっぱら従事する者に該当しない。

(1) 学校の学生又は生徒である者

(2) 他に職業を有する者

(3) 老衰その他心身の障害により事業に従事する能力が著しく阻害されている者

5－5　個人事業税の各種控除　〔ランクＡ〕

１．損失の繰越控除（法72の49の12⑥⑨～⑪）　重要度◎

(1) 内　容

その個人の前年前３年間における所得の計算上生じた損失の金額で前年前に控除されなかった部分の金額については、次の要件のすべてを満たす場合に限り、その個人の事業の所得の計算上控除する。

（注）その個人のうち所得税法の特定非常災害の特例に掲げる要件のいずれかを満たす者の一定の損失金額は、その損失金額を翌年以降５年間控除する。

(2) 要　件

① その損失の生じた年分につき個人事業税の申告をしていること（道府県知事においてやむを得ない事情があると認める場合には、その申告期限後において事業税の納税通知書が送達される時までに申告している場合を含む。）

② その後の年分につき連続して個人事業税の申告をしていること（その申告期限後において事業税の納税通知書が送達される時までに申告している場合を含む。）

③ その損失の生じた年分につきその個人が、青色申告書を提出することについて国の税務官署の承認を受けている者であること

２．被災事業用資産の損失の繰越控除（法72の49の12⑦⑨～⑪）　重要度◎

(1) 内　容

その個人の前年前３年間における事業の所得の計算上生じた損失のうち被災事業用資産の損失の金額で前年前に控除されなかった部分の金額については、上記１．の適用がない場合においても、上記１．(2)①及び②の要件を満たす場合に限り、その個人の事業の所得の計算上控除する。

（注）その個人のうち所得税法の特定非常災害の特例に掲げる要件のいずれかを満たす者の一定の損失金額は、その損失金額を翌年以降５年間控除する。

(2) 被災事業用資産の損失の金額（法72の49の12⑧、令35の３の４）

次の資産の災害（震災、風水害、火災その他一定の災害をいう。）による損失の金額をいう。

①　棚卸資産

（注）事業所得を生ずべき事業に係る商品、製品、半製品、仕掛品、原材料その他の資産（有価証券及び山林を除く。）で棚卸をすべき一定の棚卸資産をいう。

②　不動産所得又は事業所得を生ずべき事業の用に供される固定資産、繰延資産のうちまだ必要な経費に算入されていない部分

③　山　林

(3) 損失に含まれる支出の範囲（令35の３の６）

その災害に関連するやむを得ない支出でその被災事業用資産の取り壊し費用その他一定の金額を含むものとし、保険金、損害賠償金その他これらに類するものにより埋められた部分の金額を除く。

３．事業用資産の譲渡損失の控除（法72の49の12⑬、令35の３の７）

重要度○

その個人が直接事業の用に供する次の資産（事業の用に供しなくなった日の翌日から１年を経過した日の前日までに譲渡が行われたものに限る。）を譲渡したため生じた損失の金額は、上記１．(2)①の要件を満たす場合に限り、その個人の事業の所得の計算上控除する。

①　機械及び装置　②　船　舶　③　航空機
④　車両及び運搬具　⑤　工具、器具及び備品　⑥　一定の生物

４．事業用資産の譲渡損失の繰越控除（法72の49の12⑭）

重要度○

その個人の前年前３年間における上記３．の損失の金額で前年前に控除されなかった部分の金額については、上記１．(2)の要件のすべてを満たす場合に限り、その個人の事業の所得の計算上控除する。

５．事業主控除（法72の49の14①②）

重要度◎

事業を行う個人については、その個人の事業の所得の計算上290万円を控除する。この場合において、事業を行った期間が１年に満たないときは、290万円にその年において事業を行った月数を乗じて得た額を12で除して算定した金額とする。

６．各種控除の順序（法72の49の12⑮）

重要度○

各種控除は、まず上記１．又は２．を控除し、次に３．、４．及び５．の順序で控除するものとする。

5－6　個人事業税の分割基準　〔ランクＢ〕

１．意　義　重要度△

２以上の道府県に事務所又は事業所を設けて事業を行う個人は、事務所又は事業所所在のすべての道府県で事業税の賦課徴収を受けることとなる。この場合には、その個人について算定した課税標準額の総額を一定の基準により関係道府県に分割し、各関係道府県ごとに税額を算定するが、この一定の基準を「分割基準」という。

２．個人事業税の分割基準（法72の54②）　重要度◎

事務所又は事業所（以下「事業所等」という。）の従業者の数による。

３．従業者の数　重要度◎

(1) 原　則（法72の54②）

課税標準の算定期間（以下「算定期間」という。）の末日現在の数値による。

(2) 例　外（法72の54②）

次の事業所等については、それぞれの数を分割基準とする従業者の数とみなす。

① 算定期間の中途に新設された事業所等

$$\text{算定期間の末日現在の従業者の数} \times \frac{\text{新設された日からその算定期間の末日までの月数}}{\text{その算定期間の月数}}$$

② 算定期間の中途に廃止された事業所等

$$\text{廃止の日の属する月の直前の月の末日現在の従業者の数} \times \frac{\text{その事業所等が所在していた月数}}{\text{その算定期間の月数}}$$

③ その算定期間に属する各月の末日現在の従業者の数のうち、最大であるものの数値が最小であるものの数値の２倍を超える事業所等

$$\text{その算定期間に属する各月の末日現在の従業者の数を合計した数} \div \text{その算定期間の月数}$$

(3) 従業者の意義（規６の２の２①）

従業者とは、俸給、給料、賃金、手当、賞与その他これらの性質を有する給与の支払を受けるべき者をいう。この場合において、その事業の経営者である個人及びその親族又は同居人のうちその事業に従事している者で給与の支払を受けていない者も従業者とみなす。

(MEMO)

5−7　個人事業税の税率　〔ランクB〕

1．標準税率の意義（法１①五）　重要度○

標準税率とは、地方団体が課税する場合に通常よるべき税率で、その財政上の特別の必要があると認める場合には、これによることを要しない税率をいう。

2．標準税率（法72の49の17①）　重要度◎

(1) 第１種事業を行う個人……所得の100分の５
(2) 第２種事業を行う個人……所得の100分の４
(3) 第３種事業を行う個人（(4)に掲げるものを除く。）……所得の100分の５
(4) 第３種事業のうちあん摩、マッサージ又は指圧、はり、きゅう、柔道整復その他の医業に類する事業及び装蹄師業を行う個人……所得の100分の３

3．税率の区分の異なる事業をあわせて行う場合（法72の49の17②）　重要度○

上記**2**．の(1)〜(4)の事業をあわせて行う場合のそれぞれの税率を適用すべき所得は、その個人の事業の所得を各種控除前のそれぞれの事業の所得金額に按分して算定する。

4．制限税率（法72の49の17③）　重要度○

道府県は、標準税率を超える税率で事業税を課する場合には、上記**2**．の標準税率に1.1を乗じて得た率を超える税率で課することができない。

5．課税標準の特例による場合（法72の49の17④）　重要度△

課税標準の特例による場合の税率は、一般の税率による場合の負担と著しく均衡を失することのないようにしなければならない。

テーマ6

個人事業税の手続

6－1　個人事業税の賦課方法　〔ランクＢ〕

1．概　要　重要度△

個人事業税の賦課は、道府県が、その個人の前年中の所得税の課税標準である所得のうち不動産所得及び事業所得を基準として事業税の課税標準を算定し、これに税率を乗じて税額を算定し、これを納税者に通知することにより行う。

2．所得税の申告等に基づく賦課（法72の50①）　重要度◎

個人事業税を課する場合には、次の３．の場合を除き、道府県知事は、その個人のその年度の初日の属する年の前年中の所得税の課税標準である所得のうち不動産所得及び事業所得について、その個人が税務官署に申告し若しくは修正申告し、又は税務官署が更正し若しくは決定した課税標準を基準として、事業税を課する。

3．道府県知事の調査による賦課（法72の50①②④）　重要度◎

道府県知事は、次の場合には、その調査によって、その所得を決定して事業税を課する。

(1) 社会保険診療等に係る所得の課税除外の適用を受ける個人
(2) 課税事業と非課税事業とをあわせて行う個人
(3) 税務官署の申告又は修正申告において不動産所得又は事業所得を他の種類の所得としたため、その申告又は修正申告に係る課税標準が事業税の課税標準と異なることとなる個人
(4) 個人が不動産所得及び事業所得に係る課税標準について税務官署に申告しなかった場合において、税務官署がその年度の初日の属する年の５月31日までに課税標準を決定しないとき
(5) 税務官署に申告したが、その申告した所得から所得控除額を控除することにより納付すべき所得税額がなくなる場合
(6) 年の中途に事業を廃止した個人のその年の１月１日から事業の廃止の日までの期間に係る所得について事業税を課するとき

4．道府県知事による更正の請求（法72の50③）　重要度○

道府県知事は、個人が税務官署に申告し若しくは修正申告し、又は税務官署が更正若しくは決定した不動産所得及び事業所得に係る課税標準が過少であると認

めるときは、その年の10月１日から10月31日までに、税務官署に対し、更正すべき事由を記載した書類を添えて、更正をすべき旨を請求をすることができる。

この場合において、正当な事由がなくてその税務官署がその更正の請求を受けた日から３月以内に更正しないときは、道府県知事は、その税務官署を監督する税務官署に更正をすべき旨を請求をすることができる。

5．分割個人の場合　重要度△

(1) 所得の総額の決定（法72の54①）

分割個人に課する事業税の課税標準とすべき所得の総額は、主たる事務所等所在地の道府県知事が決定しなければならない。

(2) 分割課税標準額の決定（法72の54②③）

主たる事務所等所在地の道府県知事は所得の総額を決定した場合には、直ちに、所得の総額（異なる税率が適用される所得があるときは、その異なる税率を適用される所得ごとに区分した所得）を分割基準である従業者の数によりあん分して、関係道府県の事業税の課税標準とすべき所得を決定しなければならない。

(3) 通　知（法72の54③）

主たる事務所等所在地の道府県知事は、上記(1)、(2)により決定した所得の総額及び課税標準とすべき所得を関係道府県知事及び納税者に通知しなければならない。

6−2　個人事業税の徴収方法　〔ランクB〕

1．徴収の方法　重要度△

(1) **普通徴収**（法72の49の18、1①七）

個人事業税の徴収は、普通徴収の方法によらなければならない。

普通徴収とは、徴税吏員が納税通知書をその納税者に交付することによって地方税を徴収することをいう。

(2) **納税通知書**（法1①六）

納税通知書とは、納税者が納付すべき地方税について、その賦課の根拠となった法律及びその道府県の条例の規定、納税者の住所及び氏名、課税標準額、税率、税額、納期、各納期における納付税額等を記載した文書でその道府県が作成するものをいう。

2．徴収の手続（法72の52）　重要度◎

個人事業税を徴収しようとする場合に納税者に交付すべき納税通知書は、遅くとも、その納期限前10日までに納税者に交付しなければならない。

3．納　期　重要度○

(1) **通常の場合**（法72の51①）

個人事業税の納期は、8月及び11月中においてその道府県の条例で定める。

ただし、特別の事情がある場合には、これと異なる納期を定めることができる。

(2) **税額が一定金額以下の場合**（法72の51②）

個人の事業税額が道府県の条例で定める金額以下であるものについては、その道府県は、上記(1)の納期のうちいずれか一の納期において、その全額を徴収することができる。

(3) **年の中途に事業を廃止した場合**（法72の51③）

年の中途に事業を廃止した場合の個人事業税は、その事業の廃止後（その個人がその年の1月1日から3月31日までの間に事業を廃止した場合には、その年の3月31日後）直ちに課する。

(MEMO)

6−3　個人事業税の申告　〔ランクC〕

1．概　要　重要度△

個人事業税は、普通徴収制度によるため、原則として申告は必要としないが道府県が賦課する際に必要な基礎資料を提供するため、申告制度が設けられている。

2．申告義務者　重要度○

(1) 内　容（法72の55①）

個人事業税の納税義務者で、個人の事業の所得の金額が事業主控除額を超えるものは、次の(2)の申告期限までに、次の事項を事務所又は事業所（以下「事務所等」という。）所在地の道府県知事に申告しなければならない。

① その年度の初日の属する年（以下「その年」という。）の前年中の事業の所得（年の中途に事業を廃止した場合には、その年の1月1日から事業の廃止の日までの事業の所得）

② その年の前年に生じた譲渡損失の金額（年の中途に事業を廃止した場合には、その年の1月1日から事業の廃止の日までに生じた譲渡損失の金額）

③ 事業専従者控除に関する事項

④ その他必要な事項

(2) 申告期限（法72の55①）

① 通常の場合

その年の3月15日までとする。

② 年の中途に事業を廃止した場合

その事業の廃止の日から1月以内（その事業の廃止が納税義務者の死亡によるときは、4月以内）とする。

3．繰越控除のための申告（法72の55②）　重要度○

上記2．による申告義務を有しない者でその年度の翌年度以後において①損失の繰越控除、②被災事業用資産の損失の繰越控除、③事業用資産の譲渡損失の繰越控除の適用を受けようとするものは、その年の3月15日までに、その事務所等所在地の道府県知事に申告することができる。

4．分割個人の場合（法72の55③）　重要度△

分割個人がする申告は、主たる事務所等所在地の道府県知事にしなければならない。この場合には、上記２．(1)の申告事項のほか、事務所又は事業所の従業者の数その他必要な事項をあわせて申告しなければならない。

５．みなす申告（法72の55の２①～③、令35の４）　重要度△

個人事業税の納税義務者が前年分の所得税につき確定申告書を提出し、又は道府県民税につき申告書を提出した場合（年の中途に死亡以外の理由で事業を廃止した場合を除く。）には、所得税の確定申告書等が提出された日に、上記２．から４．の事業税の申告がされたものとみなす。ただし、同日前に事業税の申告がされた場合は、この限りでない。

この場合には、所得税の確定申告書等に事業税に必要な事項を附記しなければならない。

なお、所得税の確定申告書等に記載された事項のうち、上記２．から４．の申告事項に相当するもの及び附記事項は、事業税の規定により申告されたものとみなす。

６．報　告（法72の55④）　重要度△

道府県は上記２．から４．のほか、条例の定めるところにより個人事業税の賦課徴収に関し必要な事項の報告を求めることができる。

(MEMO)

テーマ７

そ　の　他

7−1　事業税の徴収猶予　〔ランクB〕

1．概　要　　重要度△

納税者が一定の理由により納期限までに事業税を納付できない場合には、申請により一時的に徴収を猶予することとしている。

2．通常の場合　　重要度○

(1)　災害等による場合（法15①）

道府県知事は、納税者が次のいずれかに該当する場合において、その事実に基づき、事業税を一時に納付することができないと認めるときは、その納付することができないと認められる金額を限度として、その者の申請に基づき、1年以内の期間を限り、その徴収を猶予することができる。

①　納税者がその財産につき、一定の災害を受け、又は盗難にかかったとき
②　納税者又は生計を一にする親族が病気にかかり、又は負傷したとき
③　納税者がその事業を廃止し、又は休止したとき
④　納税者がその事業につき著しい損失を受けたとき
⑤　上記①から④に類する事実があったとき

(2)　賦課決定が遅延した場合（法15②）

道府県知事は、納税者につき、法定納期限から1年を経過した後、その納付すべき事業税額が確定した場合において、その事業税額を一時に納付することができないと認めるときは、その納付することができないと認められる金額を限度として、その納期限内にされたその者の申請に基づき、その納期限から1年以内の期間を限り、その徴収を猶予することができる。

(3)　期間の延長（法15④）

道府県知事は、上記(1)、(2)により徴収を猶予した場合において、その期間内にその金額を納付することができないやむを得ない理由があると認めるときは、納税者の申請により、その期間を延長することができる。ただし、その期間は、あわせて2年を超えることができない。

(4)　申請書の提出（法15の2①、②）

上記(1)から(3)の申請をしようとする者は、一時に納付ができない事情の詳細その他一定の事項を記載した申請書を道府県知事に提出しなければならない。

(5) **通　知**（法15の２⑤）

道府県知事は上記の申請書の提出があった場合にはその申請に係る事項について調査を行い、その徴収の猶予若しくは期間の延長をし、又はその徴収の猶予若しくは期間の延長を認めないものとする。

(6) **取　消**（法15の３①）

道府県知事は、徴収猶予を受けた者が一定の事由に該当するときは、その徴収の猶予を取消し、その猶予に係る事業税を一時に徴収することができる。

(7) **担　保**（法16）

道府県知事は原則として徴収猶予をする場合には、その猶予に係る金額に相当する担保で一定のものを徴さなければならない。

３．分割法人の修正申告の場合（法15の４①、令６の９の２①）　重要度△

道府県知事は、分割法人が修正申告書を提出した場合において、その修正申告書に係る事業税の合計額が2,000円に満たないときは、偽りその他不正の行為により事業税を免れた場合等を除き、その修正申告書を提出した日後最初に到来する事業税の納期限まで、その徴収を猶予する。

４．外形対象法人に係る法人事業税の徴収猶予　重要度◎

(1) **概　要**

企業再生の過程にある法人や創業したばかりのいわゆるベンチャー企業などが赤字法人となり納期限までに事業税を納付できない場合に、①事業活動の継続、②雇用の確保、③ベンチャー企業の育成等の観点から、法人の申請により道府県知事は付加価値割額及び資本割額について一時的に徴収を猶予することができる。

なお、２以上の道府県に事務所又は事業所を設けて事業を行う分割法人の場合には、それぞれの事務所又は事業所所在地の道府県に申請しなければならない。

(2) **要　件**（法72の38の２①、③、④）

①　道府県知事は、外形対象法人が次のいずれかに該当する場合において、事業税（確定申告納付又は清算中の各事業年度の申告納付をするものに限る。）を納付することが困難であると認めるときは、その法人の申請に基づき、３年以内の期間を限り、その事業税の全部又は一部の徴収を猶予することができる。

イ　その事業税の確定申告書に係る事業年度（以下「その事業年度」という。）終了の日の翌日から起算して3年前の日の属する事業年度からその事業年度までの各事業年度の所得がない法人で地域経済・雇用等に重大な影響を及ぼすと認められるもの

ロ　その事業年度（その終了の日がその法人の設立の日から起算して5年を経過した日よりも前である事業年度に限る。）の所得がない法人でその技術の高度性又は事業の新規性などが地域経済の発展に寄与すると見込まれるもの

②　上記①の申請は、その事業税の確定申告書を提出する際、道府県の条例の定めるところによって、併せてしなければならない。

③　上記①は、前事業年度までの各事業年度について確定申告書を提出している場合であって、その事業税の確定申告書をその提出期限までに提出したときに限り、適用する。

(3) 期間の延長（法72の38の２⑤）

道府県知事は、上記(2)により徴収を猶予した場合において、その期間内にその金額を納付することができないやむを得ない理由があると認めるときは、その法人の申請により、３年以内の期間を限りその期間を延長することができる。ただし、その期間は、あわせて６年を超えることができない。

(4) 取　消（法72の38の２⑧）

道府県知事は、上記(2)の徴収の猶予を受けた法人がその事業年度後の各事業年度について確定申告書をその提出期限までに提出しなかったときは、その徴収の猶予を取り消し、その猶予に係る事業税を一時に徴収することができる。

(5) 中間申告納付する事業税（法72の38の２⑥～⑩）

中間申告納付する事業税についても、上記(2)から(4)に準じた規定がある。

(6) 担　保（法72の38の2②）

上記２．(7)参照

５．延滞金の免除（法15の９①、72の38の２⑩）　重要度△

上記２．又は４．により徴収の猶予をした場合には、その事業税に係る延滞金のうち、その徴収の猶予をした期間に対応する部分の金額の２分の１に相当する金額は、免除する。

ただし、取消しの基因となるべき事実が生じた場合には、その生じた日以後の期間に対応する部分の金額については、道府県知事は、その免除をしないことができる。

6．移転価格税制による法人税の申立てに係る法人事業税の徴収猶予

重要度△

(1) **内　容**（法72の39の2①）

道府県知事は、法人が国税庁長官に租税条約に規定する申立てをした場合その他一定の場合には、その申立てをした者の申請に基づき、次の金額の合算額を限度として、その義務的修正申告又は法人事業税の更正若しくは決定の規定による納期限（その申請が納期限後であるときは、その申請の日とする。）から、当局間の合意による法人税の再更正に係る課税標準とされた所得に基づき、法人事業税の更正又は再更正をした場合のその更正又は再更正があった日の翌日から1月を経過する日までの期間に限りその徴収を猶予することができる。

ただし、その申請時において一定の道府県税の滞納がある場合にはこの限りでない。

① 法人税法に規定する国外関連者との取引に係る課税の特例（以下「移転価格税制」という。）による更正決定に係る法人税額（その申立てに係る相互協議の対象となるものに限る。）の課税標準とされた所得に基づく義務的修正申告により申告納付すべき所得割額又は付加価値割額

② 移転価格税制による更正決定に基づく、法人税の課税標準を基準とする所得割の更正若しくは決定又は道府県知事の調査による更正若しくは決定により納付すべき所得割額又は付加価値割額

③ 過少申告加算金、不申告加算金及び重加算金

(2) **担　保**（法72の39の2②）

道府県知事は、上記(1)の納税猶予をする場合には、その猶予に係る金額に相当する担保を徴さなければならない。

ただし、その猶予に係る税額が100万円以下である場合,その猶予期間が3月以内である場合又は担保を徴することができない特別の事情がある場合は、この限りでない。

(3) **取　消**（法72の39の2④）

徴収の猶予を受けた者がその申立てを取り下げた場合その他一定の事由に該当する場合には、道府県知事はその徴収の猶予を取り消すことができる。

(4) **延滞金の免除**（法72の39の2⑤）

徴収の猶予をした場合には、その猶予をした所得割又は付加価値割に係る延滞金額のうち徴収の猶予期間に対応する部分の金額は、免除する。

(5) なお個人事業税にも同様の規定がある（法72の57の2）

7−2　事業税の延滞金　〔ランクC〕

1．概　要　重要度△

納期後に事業税額を納付する場合には、納期限内納付との実質的負担の均衡を図るため延滞金を徴収する旨の定めがある。

2．法人事業税の延滞金　重要度○

(1) 更正等の場合

① 内　容（法72の44①②）

道府県の徴税吏員は、更正又は決定があった場合には、その不足税額に納期限の翌日から納付の日までの期間の日数に応じ、年14.6％（不足税額の納期限までの期間又はその納期限の翌日から1月を経過する日までの期間については、年7.3％）の割合を乗じて計算した延滞金額を加算して徴収しなければならない。

② 控除期間（法72の44③④）

イ　上記①の場合において、更正の通知をした日が申告書の提出の日（提出期限前に提出された場合には、その提出期限）の翌日から1年を経過する日後であるときは、一定の場合を除き、その1年を経過する日の翌日からその通知をした日までの期間は、延滞金の計算期間から控除する。

ロ　上記①の場合において、増額更正があったとき（当初申告書が提出されており、かつ、その当初申告書の提出により納付すべき税額を減少させる更正（以下、「減額更正」という。）があった後に、その増額更正があったときに限る。）は、その増額更正により納付すべき税額（当初申告書に係る税額（還付金の額に相当する税額を含む。）に達するまでの部分として政令で定める税額に限る。）については、次に掲げる期間（詐偽その他不正の行為により事業税を免れた法人についてされた増額更正により納付すべき事業税その他政令で定める事業税にあっては、次の(イ)に掲げる期間に限る。）を延滞金の計算の基礎となる期間から控除する。

(イ) 当初申告書の提出により納付すべき税額の納付があった日（その日がその申告に係る法人事業税の納期限より前である場合には、その納期限）の翌日からその減額更正の通知をした日までの期間

(ロ) 減額更正の通知をした日(その減額更正が、更正の請求に基づくもの(法人税に係る更正によるものを除く。) である場合又は法人税に係る更正(法人税に係る更正の請求に基づくものに限る。) によるものである場合には、その減額更正の通知をした日の翌日から起算して１年を経過する日)の翌日からその増額更正の通知をした日までの期間

(2) 納期限後に納付する場合

① 内　容 (法72の45①)

法人事業税の納税者は、納期限後にその税金 (修正申告により増加した税額を含む。) を納付する場合には、その税額に納期限の翌日から納付の日までの期間の日数に応じ、年14.6% (次の税額の区分に応じ、それぞれに定める日又は期限までの期間については、年7.3%) の割合を乗じて計算した延滞金額を加算して納付しなければならない。

イ　納期限前に提出した申告書に係る税額

……納期限の翌日から１月を経過する日

ロ　納期限後に提出した申告書に係る税額

……その提出した日又はその日の翌日から１月を経過する日

ハ　修正申告書に係る税額

……修正申告書を提出した日 (提出期限前に提出された場合には、その提出期限) 又は修正申告書を提出した日の翌日から１月を経過する日

② 控除期間 (法72の45②③)

イ　上記(2)①の場合において、法人が申告書を提出した日 (提出期限前に提出された場合には、その提出期限。) の翌日から１年を経過する日後に修正申告書を提出したときは、一定の場合を除き、その１年を経過する日の翌日からその修正申告書を提出した日 (提出期限前に提出された場合には、その提出期限。) までの期間は、延滞金の計算期間から控除する。

ロ　上記(2)①の場合において、修正申告書の提出があったとき(当初申告書が提出されており、かつ、その当初申告書の提出により納付すべき税額を減少させる更正(以下、「減額更正」という。) があった後に、その修正申告書が提出されたときに限る。) は、その修正申告書の提出により納付すべき税額(当初申告書に係る税額(還付金の額に相当する税額を含む。) に達するまでの部分として政令で定める税額に限る。) については、上記(2)②イにかかわらず次に掲げる期間(詐偽その他不正の行為により事業税を免れた法人が更正があるべきことを予知して提出した修正申告書に係る事業税その他政令で定める事業税にあつては、次の(イ)に掲げる期間に限る。) を延滞金の計算の基礎となる期間から控除する。

(イ) 上記(1)②ロ(イ)と同様

(ロ) 減額更正の通知をした日(その減額更正が、更正の請求に基づくもの(法人税に係る更正によるものを除く。）である場合又は法人税に係る更正(法人税に係る更正の請求に基づくものに限る。）によるものである場合には、その減額更正の通知をした日の翌日から起算して１年を経過する日)の翌日からその修正申告書を提出した日（修正申告書が提出期限前に提出された場合には、その提出期限。）までの期間

(3) 納期限の延長の場合（法72の45の２）

① 内　容

会計監査等による納期限の延長の適用を受けている法人は、事業税を納付する場合には、その税額にその各事業年度終了の日後２月を経過した日からその適用により延長された申告書の提出期限までの期間の日数に応じ、年7.3％の割合を乗じて計算した延滞金額を加算して納付しなければならない。

② 控除期間

上記①の場合において、上記(1)②ロ(ロ)及び(2)②ロ(ロ)の規定を準用する。

３．個人事業税の延滞金（法72の53①）　重要度△

個人事業税の納税者は、納期限後にその税金を納付する場合は、その税額に納期限の翌日から納付の日までの期間の日数に応じ、年14.6％（納期限の翌日から１月を経過する日までの期間については、年7.3％）の割合を乗じて計算した延滞金を加算して納付しなければならない。

４．経過措置（法附則３の２①）　重要度△

当分の間、上記**２**．及び**３**．の延滞金の割合は、上記にかかわらず各年の延滞金特例基準割合が年7.3％の割合に満たない場合には、その年中においては、次の通りとする。

① 年14.6％の割合にあっては、当該延滞金特例基準割合の適用年における延滞金特例基準割合に年7.3％の割合を加算した割合

② 年7.3％の割合にあっては、当該延滞金特例基準割合に年１％の割合を加算した割合（当該加算した割合が年7.3％の割合を超える場合には、年7.3％の割合）

５．延滞金の減免、免除

重要度△

(1) 減　免（法72の44⑤、72の45④、72の53②）

道府県知事は、納税者が納期限までに税金を納付しなかったこと又は更正若しくは決定を受けたことについてやむを得ない事由があると認める場合には、延滞金を減免することができる。

(2) 免　除（法20の９の５①、15の９①）

① 災害等による納期限の延長をした場合には、その地方税に係る延滞金のうち、その延長をした期間に対応する部分の金額は、免除する。

② 災害等による徴収の猶予をした場合には、その地方税に係る延滞金額うち、その徴収の猶予をした期間に対応する部分の金額の２分の１に相当する金額は、免除する。

６．端数処理（法20の４の２②⑤）

重要度△

(1) 延滞金の計算の基礎となる税額に1,000円未満の端数があるとき、又はその全額が2,000円未満であるときは、その端数金額又はその全額を切り捨てる。

(2) 延滞金の確定金額に100円未満の端数があるとき、又はその全額が1,000円未満であるときは、その端数金額又は全額を切り捨てる。

7－3　事業税の加算金　〔ランクC〕

1．概　要　重要度△

法人事業税は申告納付制度によるが、申告した税額が過少である場合や申告しなかった場合には、納税者の自主的な税務計算の秩序を維持するため、違反の態様に応じて、行政罰として各種の加算金を徴収する旨の定めがある。

2．過少申告加算金（法72の46①）　重要度○

(1) 道府県知事は、申告書（予定申告による中間申告書を除く。）の提出期限までに提出があった場合（正当な理由による期限後申告及び、次の3．(4)の規定の適用があるときを含む。）において、更正又は自主的修正申告書の提出があったときは、その更正による不足税額又はその修正による増加税額（正当な理由がある場合その他一定の場合には、政令で定める金額を控除した金額。以下「不足税額等」という。）に100分の10の割合を乗じて計算した過少申告加算金額（その不足額がその申告に係る税額と50万円とのいずれか多い金額を超えるときは、その超える部分の金額に100分の5の割合を乗じて計算した金額を加算する。）を徴収しなければならない。

(2) ただし、自主的修正申告書の提出が更正があるべきことを予知してされたものでないときはこの限りでない。

3．不申告加算金（法72の46②～⑤、⑦）　重要度○

(1) 道府県知事は、次の場合（正当な理由による期限後申告を除く。）には、その申告、決定又は更正により納付すべき税額（次の②又は③で正当な理由がある場合その他一定の場合には政令で定める金額を控除した税額。）に100分の15の割合を乗じて計算した不申告加算金額を徴収しなければならない。

① 期限後申告書の提出があった場合又は決定があった場合

② 期限後申告書の提出があった後において修正申告書の提出又は更正があった場合

③ 決定があった後において修正申告書の提出又は再更正があった場合

(2) 上記(1)により納付すべき税額（以下「加算後累積納付税額」という。）が50万円を超える場合には、不申告加算金額は、上記(1)により計算した金額に、その超える部分の金額に100分の5の割合を乗じて計算した金額を加算する。

(3) 不申告加算金額は、加算後累積納付税額が300万円を超えるときは、加算後累積納付税額を区分しそれぞれ一定の割合を乗じて計算した金額の合計額から一定の金額を控除した金額とする。

(4) 期限後申告書若しくは自主的修正申告書の提出が更正若しくは決定があるべきことを予知してされたものでないとき、又は義務的修正申告書の提出があった場合には、不申告加算金は、その申告により納付すべき税額に100分の５の割合を乗じて計算した金額とする。

(5) 不申告加算金は、上記(4)の規定による申告書の提出があった場合において、申告書の提出期限までに提出する意思があったと認められる場合に該当し、かつ、その期限から１月を経過する日までに行われたものであるときは適用されない。

(6) 期限後申告書の提出、修正申告書の提出(その修正申告書の提出がその提出期限までにあった場合を除く。) 又は更正若しくは決定があった日の前日から起算して５年前の日までの間に、事業税について、不申告加算金(上記(4)に該当する場合において徴収されたものを除く。) 又は重加算金を徴収されたことがある場合その他一定の場合には、不申告加算金額は、上記(1)、(2)及び(3)により計算した金額に、納付すべき税額に100分の10の割合を乗じて計算した金額を加算する。

４．重加算金

重要度△

(1) 過少申告の場合 (法72の47①)

道府県知事は、上記２．の場合において、納税者が事業税額の計算の基礎となるべき事実の全部又は一部を隠ぺいし又は仮装し、かつ、その事実に基づいて申告書を提出し、修正申告書を提出し、又は更正の請求書を提出したときは、過少申告加算金額に代え、その不足税額等に100分の35の割合を乗じて計算した重加算金額を徴収しなければならない。

(2) 不申告の場合 (法72の47②)

道府県知事は、上記３．の場合において、納税者が事業税額の計算の基礎となるべき事実の全部又は一部を隠ぺいし又は仮装し、かつ、その事実に基づいて申告書を提出期限までに提出せず、又は期限後申告書を提出し、修正申告書を提出し若しくは更正の請求書を提出したときは、不申告加算金額に代え、納付すべき税額に100分の40の割合を乗じて計算した重加算金額を徴収しなければならない。

(3) 加重措置（法72の47③）

期限後申告書の提出、修正申告書の提出又は更正若しくは決定があった日の前日から起算して5年前の日までの間に、事業税について、不申告加算金又は重加算金を徴収されたことがあるときその他一定のときは、重加算金額は、それぞれの計算の基礎となるべき税額に100分の10の割合を乗じて計算した金額を加算した金額とする。

(4) 重加算金を徴収しない場合（法72の47④）

道府県知事は、上記2．(2)又は3．(4)の事由がある場合には、その申告により納付すべき税額又はその修正申告により増加した税額を基礎として計算した重加算金を徴収しない。

5．通　知（法72の46⑦、法72の47⑤）

重要度△

道府県知事は、過少申告加算金、不申告加算金又は重加算金を決定した場合には、遅滞なく、これを納税者に通知しなければならない。

6．端数処理（法20の4の2②⑤）

重要度△

(1) 加算金の計算の基礎となる税額に1,000円未満の端数があるとき、又はその全額が2,000円未満であるときは、その端数金額又はその全額を切り捨てる。

(2) 加算金の確定金額に100円未満の端数があるとき、又はその全額が1,000円未満であるときは、その端数金額又はその全額を切り捨てる。

(MEMO)

7－4　税額控除　〔ランクＣ〕

１．仮装経理に基づく過大申告の場合の更正に伴う税額控除及び還付　重要度△

(1) 仮装経理による過大申告があった場合の還付充当の停止（法72の24の10②）

確定申告書に記載された各事業年度の付加価値額、資本金等の額、所得又は収入金額が当該事業年度の課税標準とされるべき付加価値額、資本金等の額、所得又は収入金額を超え、かつ、その超える金額のうちに事実を仮装して経理したところに基づくものがある場合において、道府県知事がその事業年度に係る付加価値割、資本割、所得割又は収入割につき更正をしたときは、その事業年度に係る付加価値割、資本割、所得割又は収入割として納付された金額のうちその更正により減少する部分の金額でその仮装して経理した金額に係るもの（以下、「仮装経理事業税額」という。）は、地方税法に規定する還付等の規定にかかわらず、次の(3)又は(7)の規定により還付すべきこととなった金額を除き、還付しないものとし、又はその法人の未納に係る地方団体の徴収金に充当しないものとする。

(2) 税額控除の特例（法72の24の10①）

各事業年度開始の日前に開始した事業年度の付加価値割、資本割、所得割又は収入割につき道府県知事が更正をした場合において、その更正につき上記(1)の規定の適用があったときは、その更正に係る仮装経理事業税額（既に次の(3)又は(7)により還付すべきこととなった金額及びこの(2)適用により控除された金額を除く。）は、その各事業年度（その更正の日以後に終了する事業年度に限る。）の付加価値割額、資本割額、所得割額又は収入割額から控除するものとする。

(3) 還付充当の特例（法72の24の10③）

上記(1)の規定の適用があった法人（以下、「適用法人」という。）について、その更正の日の属する事業年度開始の日から５年を経過する日の属する事業年度の確定申告書の提出期限（その更正の日から５年を経過する日の属する事業年度終了の日までの間にその適用法人につき次に掲げる事実が生じたときは、それぞれに定める提出期限）が到来した場合その他一定の場合には、道府県知事は、その適用法人に対し、その更正に係る仮装経理事業税額（既にこの(3)の規定又は次の(7)の規定により還付すべきこととなった金額及び上記(2)の規定により控除された金額を除く。）を還付し、又はその適用法人の未納に係る地方団体の徴収金に充当するものとする。

①　残余財産の確定

……残余財産の確定の日の属する事業年度の確定申告書の提出期限

②　合併による解散(適格合併による解散を除く。)

……その合併の日の前日の属する事業年度の確定申告書の提出期限

③　破産手続開始の決定による解散

……破産手続開始の決定の日の属する事業年度の確定申告書の提出期限

④　普通法人又は協同組合等が公益法人等に該当することとなったこと

……該当することとなった日の前日の属する事業年度の確定申告書の提出期限

(4)　更生手続の開始の決定等があった場合（法72の24の10④）

適用法人につき次に掲げる事実が生じた場合には、その適用法人は、その事実が生じた日以後１年以内に、道府県知事に対し、その適用に係る仮装経理事業税額(既に上記(3)又は次の(7)により還付すべきこととなった金額及び上記(2)の規定により控除された金額を除く。）の還付を請求することができる。

①　更生手続開始の決定があったこと。

②　再生手続開始の決定があったこと。

③　上記①及び②に準ずる事実

(5)　反射的更正があった場合（法72の24の10⑤）

各事業年度の付加価値額、所得又は収入金額を減少させる更正でその法人のその各事業年度の開始の日前に終了した事業年度の付加価値割、所得割又は収入割についてされた更正(以下、「原更正」という。）に伴うもの(以下、「反射的更正」という。）があった場合において、その反射的更正により減少する部分の付加価値額、所得又は収入金額のうちにその原更正に係る事業年度においてその事実を仮装して経理した金額に係るものがあるときは、その金額は、その各事業年度においてその法人が仮装して経理したところに基づく金額とみなして、上記(1)から(4)の規定を適用する。

(6)　請求書（法72の24の10⑥）

上記(4)による還付の請求をしようとする適用法人は、その還付を受けようとする仮装経理事業税額、その他一定の事項を記載した請求書を道府県知事に提出しなければならない。

(7)　通　知（法72の24の10⑦）

道府県知事は、上記(6)の請求書の提出があった場合には、その請求に係る事実その他必要な事項について調査し、その調査により、その請求をした適用法人に対し、仮装経理事業税額を還付し、若しくはその適用法人の未納に係る地方団体の徴収金に充当し、又は請求の理由がない旨を書面により通知するものとする。

2．租税条約の実施に係る更正等に伴う税額控除　重要度△

(1) **税額控除**（法72の24の11①②）

① 事業を行う法人について、租税条約等の実施に伴う更正の特例に基づき法人税の更正が行われた場合において、その更正に係る法人税の所得に基づいて道府県知事が更正をしたことに伴い、過誤納金の還付又は更正等による中間納付額の還付の規定（以下、「過誤納金の還付の規定等」という。）により還付することとなる金額(以下、「租税条約の実施に係る還付すべき金額」という。）が生ずるときは、その更正があった日がその更正に係る更正の請求があった日の翌日から起算して3月を経過した日以後である場合を除き、過誤納額の還付の規定等その他一定の規定にかかわらず、租税条約の実施に係る還付すべき金額は、その更正の日の属する事業年度開始の日から1年以内に開始する各事業年度の付加価値額、資本金等の額又は所得について納付すべき事業税額から控除するものとする。

② 上記①に規定する事業税の更正に伴いその更正に係る事業年度後の各事業年度の付加価値額又は所得を減少させる更正があった場合において、その更正により過誤納金の還付の規定等により還付することとなる金額が生ずるときは、租税条約の実施に係る還付すべき金額とみなして上記①の規定を適用する。

(2) **還付充当**（法72の24の11④）

この規定により控除されるべき額で控除しきれなかった金額があるときは、道府県は、その控除しきれなかった金額を還付し、又はその法人の未納に係る地方団体の徴収金に充当するものとする。

(3) **控除順序**（法72の24の11⑤）

上記1．及びこの規定による事業税額からの控除については、まず上記1．の規定による控除をし、次にこの規定による控除をするものとする。

(MEMO)

7−5　特定寄附金税額控除　〔ランクＣ〕

１．内　容（法附則９の２の２①②）　重要度○

(1) 青色申告法人等が平成28年４月１日から令和７年３月31日までの間に認定地方公共団体に対して創生寄附活用事業に関連する寄附金（特定の利益がその寄附をした者に及ぶと認められたものを除く。以下、「特定寄附金」という。）を支出した場合には、その特定寄附金を支出した日を含む事業年度（(解散（合併による解散を除く。）の日を含む事業年度及び清算中の各事業年度を除く。）以下「寄附金支出事業年度」という。）において申告納付すべき事業税額から次の(2)の金額を控除する。

(2) 控除額

次のいずれかの少ない金額

① その寄附金支出事業年度において支出した特定寄附の額の合計額（注）×20％

（注）法人税の所得の金額の計算上損金の額に算入されるものに限る。

また、分割法人についてはその合計額を分割基準により按分して計算した金額。

② その法人に適用される所定の税率により計算した事業税額×20％

２．手　続（法附則９の２の２②④）　重要度○

申告書（控除を受ける金額を増加させる場合には修正申告書又は更正の請求書を含む。）に特定寄附金の額、控除を受ける額及びその金額計算に関する明細書並びに特定寄附金に該当することを証する書類の添付がある場合に適用する。

この場合において、その控除額の計算の基礎となる金額は添付書類に記載された特定寄附金の額を限度とする。

その他この規定の適用に関し必要な事項は政令で定める。

テーマ8

過去本試験問題の分析等

過去本試験問題は、本試験問題の傾向の把握と、学習進度の確認の目安としてご使用いただくために、掲載しております。
そのため、問題文とコメントのみの掲載としております。

第1　各分野の出題頻度

		56	57	58	59	60	61	62	63	元	2	3	4	5	6	7	8	9	10	11	12
法人事業税	1.課税団体										○		○						○		
	2.課税客体										○								○		
	3.納税義務者										○								○		
	4.非課税	○				○															
	5.課税標準																				
	①収入金額		○		○								○		○	○	○				○
	②所得金額	○			○	○		○	○		○	○			○	○			○		
	③付加価値額																				
	④資本金等の額																				
	⑤清算								○							○					
	⑥外国所得								○		○					○			○		
	6.鉱物の掘採等															○					
	7.税率・税額	○			○	○		○	○		○	○	○	○	○				○		
	8.申告納付																				
	①確定申告			○	○	○			○		○				○				○		
	②中間申告			○	○		○		○	○	○				○				○		○
	③合併								○		○										○
	④解散申告								○												
	9.更正の請求			○										○	○			○			
	10.更正・決定			○											○	○		○			
	11.延滞金・加算金								○											○	
	12.徴収猶予																				
個人事業税	1.課税団体						○			○		○	○				○				
	2.課税客体				○		○			○		○		○							
	3.納税義務者						○			○		○									
	4.非課税						○	○				○					○				
	5.課税標準	○					○	○		○		○		○			○				
	6.専従者		○		○	○	○	○		○		○		○			○				
	7.各種控除		○	○	○	○	○	○		○		○		○			○				
	8.税率・税額		○		○		○	○		○		○					○				
	9.申告			○			○					○					○				
	10.賦課・徴収									○							○				
その他	1.分割基準	○	○		○	○	○	○	○	○	○	○	○		○		○				○
	2.その他の内容		○	○	○	○	○	○	○			○									

		13	14	15	16	17	18	19	20	21	22	23	24	25	26	27	28	29	30	元	2	3	4	5
法人事業税	1.課税団体	○								○														
	2.課税客体					○																		
	3.納税義務者	○																						
	4.非課税																							
	5.課税標準																							
	①収入金額		○	○	○				○				○		○			○		○		○		○
	②所得金額		○	○	○	○			○			○		○	○					○	○	○		○
	③付加価値額							○	○		○			○	○		○			○				○
	④資本金等の額						○			○				○	○	○				○	○			○
	⑤清算		○		○				○															
	⑥外国所得		○	○	○																○			
	6.鉱物の掘採等																							
	7.税率・税額	○		○	○	○		○							○					○		○		○
	8.申告納付																							
	①確定申告				○	○		○			○				○									
	②中間申告	○		○	○	○		○			○			○					○			○		
	③合併							○																
	④清算中の申告				○				○									○				○		
	9.更正の請求			○		○								○					○					○
	10.更正・決定					○	○				○		○											
	11.延滞金・加算金								○							○			○					
	12.徴収猶予						○					○											○	
個人事業税	1.課税団体																							
	2.課税客体					○	○						○								○			
	3.納税義務者																							
	4.非課税			○																				
	5.課税標準			○		○	○						○			○		○		○	○		○	
	6.専従者			○		○	○					○				○		○			○		○	
	7.各種控除			○		○	○						○			○		○			○		○	
	8.税率・税額					○	○						○			○		○			○			
	9.申告		○			○				○							○				○			
	10.賦課・徴収					○															○			
	1.分割基準	○		○	○	○		○						○	○		○	○		○		○		○
	2.その他の内容				○																			

第２　最近の本試験問題と分析

事業税は、総合問題・事例問題が出題される。そこで具体的にどのような問題が出題されているかをみてもらい、効果的な学習のため又は、内容理解の重要性を認識してもらうこととした。（事業税の場合、出題傾向が初期から変化してきているので最近のもののみ取り上げた）

年　度	問題（配点）	コメント
56年度 （第31回）	〔第一問〕（70点） 　甲製紙会社の本社はＡ県にあり、その資本金の額は10億円である。甲社は、Ｂ県にある山林200ヘクタールで造林事業を行うとともに、Ｘ国においても500ヘクタールの山林で造林事業を行っている。また、甲社は、Ｂ県とＣ県にある製紙工場で紙の製造を行い、Ａ県とＣ県にある倉庫で紙類の保管を専門とする倉庫業を行っている。 　この場合、甲社が各県に納付すべき事業税の算定方法について述べなさい。 〔第二問〕（30点） 　出版物を発行し、かつ、出版物を供給し、又は販売する事業に対する事業税の取扱いについて述べなさい。	林業を法施行地の内外において行う分割法人の事業税額の算定についての問題である。 旧非課税事業について出版業を取り上げての問題である。
57年度 （第32回）	〔第一問〕（70点） 　開業以来、所得税においては、青色申告書以外の申告書をその提出期限内に提出している甲山太郎氏の来訪を受け、「Ａ県ａ市において薬局を経営することとなって満５年を迎える昭和57年７月４日、Ｂ県ｂ市においても同事業を営むこととした。ところで、昭和57年度分の個人の事業税の額は、昭和56年中の事業に係る総収入金額から必要な経費を控除して得た額に標準税率を乗じて算定すればよいか。また、昭和61年度分についてはどうか」と問われた。これに対して、どのように答えたらよろしいですか。 〔第二問〕（30点） 　Ａ県及びＢ県において事業所を設けて電気供給業を行っている甲株式会社の昭和57年９月30日に終了する事業年度分の分割課税標準額の算定方法について述べなさい。なお、甲株式会社の事業年度は、４月１日から９月30日まで及び10月１日から翌年３月31日までである。	非分割から分割になった薬局経営を行う個人についての事業税の算定に関する問題である。 電気供給業を行う分割法人の分割課税標準額の算定方法についての問題である。

58年度 （第33回）	〔第一問〕（70点） 甲株式会社は物品販売業を行っているが、同社に係る事業税の額は、どのような手続きによって確定するかをすべての場合について述べなさい。 なお、甲株式会社の事業年度の期間は、１年間である。 〔第二問〕（30点） 物品製造業を営んでいる乙氏は、昭和57年８月の火災によって棚卸資産を焼失し、そのため、昭和58年度分の個人事業税の課税標準である事業の所得の計算において多額の損失が生じた。ところで、この損失は、昭和59年度分に係る課税標準の算定上どのように取り扱われますか。	法人事業税の期限内申告、修正申告などの内容を考慮しつつ事業税の確定の過程を体系的に問う問題である。 個人事業税の各種控除を中心とする問題である。
59年度 （第34回）	〔第一問〕（70点） Ａ県及びＢ県において事業を行っている内国法人である甲株式会社は、昭和59年９月30日に事業年度が終了する。 同社が同事業年度に係る事業税についてすべき申告納付及びその税額の算定の方法を、事業の態様別に説明しなさい。 〔第二問〕（30点） 所得税においてみなし法人課税適用の分割個人の税額算定。 （計算問題のため具体的内容は略す。）	分割法人の事業税額の算定と申告納付について、所得課税法人、収入金額課税法人である場合などについて体系的に問う問題である。 みなし法人課税適用といってもさほど難しいものではなく、中心論点は、①事業専従者と、②各種控除の部分である。
60年度 （第35回）	〔第一問〕（70点） Ａ県ａ市に本店、同県ｂ市に支店を設置して教科書の供給及び一般図書の販売を行っている甲株式会社は、昭和60年６月１日にＡ県ａ市所在の本店をＢ県ｃ市に移転して、同所で営業を開始した。その後、甲株式会社は、同年７月15日、Ｃ県ｄ市に所在する印刷工場を買収して学術研究用図	分割法人の事業税額の算定と申告納付についての問題である。特に注意すべき点は、旧非課税事業の経過措置の内容と、事業年度が

	書の出版を開始し、自社発行の図書は、本店の店頭に陳列して販売している。甲株式会社の資本金は15,000千円であり、事業年度は毎年４月１日から９月30日まで及び10月１日から翌年３月31日までである。 甲株式会社が法人税について青色申告書を提出することにつき所轄税務署長の承認を受けている場合における昭和60年４月１日から同年９月30日までの事業年度分の事業税の計算及びその申告納付をどのようにしたらよいか説明しなさい。	６か月であることである。
	〔第二問〕（30点） 甲野乙郎は、10年来、Ａ県ａ市に事務所を設け、従業員を使用して、機械器具類の設計、デザイン及び工業技術指導を行っているが、昭和59年７月１日、かねてよりの海外進出の念願がかなってＢ国ｂ市に支所を開設し、Ａ県ａ市所在の事務所の従業員からの派遣者とＢ国ｂ市での現地採用者とを使用して、Ａ県ａ市におけると同種の事業を行っている。 甲野乙郎の昭和60年度分の事業税の課税標準となる所得の算定方法について説明しなさい。 なお、甲野乙郎の説明により、上記のほか次のことが明らかとなっている。 (1)　甲野乙郎の長男丙郎は、昭和59年３月20日に工業大学の夜間部を卒業しているが、在学中の同年１月１日からＡ県ａ市で行う乙郎の事業に専ら従事し、支払いを受けていたところ、同年９月１日からは他へ就職したため、乙郎の事業に専ら従事することができなくなったこと。乙郎は、丙郎と起居を共にし、その学資等の大半を負担していること。 (2)　甲野乙郎は、Ｂ国において所得税を課税されていること。 (3)　甲野乙郎は、所得税について青色申告書以外の申告書を提出していること。	個人事業税課税標準の算定方法についての問題である。事業専従者と法施行地外の所得の区分計算が中心となる。 また、所得税において青色申告書以外の申告書を提出していることに注意が必要である。

(4) 甲野乙郎に対して課する事業税の課税標準となる所得の金額の計算上必要な事項については、他に特記すべきものはないこと。

61年度
（第36回）

〔第一問〕（70点）

A県に事務所を設けて広告掲載取扱業を営む甲氏は、昭和61年４月10日限りで、その事業を廃止した。

(1) 甲氏から、「この場合の個人の事業税の申告はいつまでにすればよいか。また、事業税額はどのように計算すればよいか。」と問われた。

この甲氏の質問に答えなさい。

(2) 甲氏の昭和61年１月１日から事業廃止の日までの事業に係る総収入金額等は次のとおりである。

甲氏の事業税に係る課税標準額はいくらになるか計算の過程を明らかにして答えなさい。

① 総収入金額及び必要な経費の明細

区　分	総収入金額（万円）	必要な経費（万円）	差　引（万円）
課税事業	600	700	△ 100
旧非課税事業	1,400	900	500
計	2,000	1,600	400

② 事業用資産の譲渡による損失の明細

旧非課税事業に係る資産を譲渡したための損失金額 120万円

個人事業税全般についての税額算定についての問題である。

また、旧非課税事業についての個別計算問題である。

〔第二問〕（30点）

甲株式会社（資本金 2,000万円）の事業年度は、毎年２月１日に開始し、翌年１月31日に終了する。同社は、従来A県、B県及びC県に事務所を設けて物品販売業を行っていたが、昭和61年５月20日限りでC県の事務所を廃止して、現在はA及びBの２県の事務所で事業を行っている。

中間申告納付についての基本的問題である。

	同社の当期（昭和61年２月１日から昭和62年１月31日まで）の事業税の中間申告納付の方法について説明しなさい。 なお、同社は、前期及び当期においては一度も合併を行っていない。	
62年度 （第37回）	〔第一問〕（70点） １．事業税の分割基準である事務所又は事業所の「従業者」について説明しなさい。（30点） ２．分割法人の法人税の計算の例によらない事項と分割基準を中心とする税額算定。 （計算問題のため具体的内容は略す。） 〔第二問〕（30点） 医業と旧非課税事業である出版業を行っている場合の個人事業税の税額算定。事業の廃止を含む。 （計算問題のため具体的内容は略す。）	非常に基本的な問題である。 分割基準の内容は難しいが他は基本的な計算問題である。 旧非課税事業についての、施行令附則の知識を要求される問題である。
63年度 （第38回）	〔第一問〕（70点） Ａ県に事務所を設けて物品販売業を行っていた甲法人とＢ県及びＣ県に事務所を設けてガス供給業を行っていた乙法人は、合併して物品販売業とガス供給業を併せ行う丙法人を設立し、Ａ県、Ｂ県及びＣ県において引き続きこれらの事業を行っている。 甲法人及び乙法人に係る事業税並びに丙法人の設立後最初の事業年度に係る事業税の申告納付について述べなさい。 なお、合併契約における合併の日は昭和63年４月１日であり、各法人の事業年度は次のとおりである。 甲法人　６月１日から翌年５月31日まで 乙法人及び丙法人　４月１日から翌年３月31日まで 〔第二問〕（30点） 外国で事業活動を行うことを中心として外国所得のあん分計算と外国税額の取扱いがポイントと	新設合併を前提とする法人事業税の申告納付を広範に問う問題である。 ポイントは、被合併法人の申告納付と新設法人の中間申告納付である。 比較的平易な問題である。

	なる法人事業税の算定。 （計算問題のため具体的内容は略す。）	
平元年度 （第39回）	**〔第一問〕（70点）** Ａ県ａ市において事業所を設けて鰻の養殖を行っている甲氏は、昭和63年４月、隣町のＢ県ｂ市に40世帯収容の賃貸マンションを建設し、貸家業をも行い、相当多額の収入を得た。 ところで甲氏の来訪を受け、「私の昭和63年中の事業の所得に係る事業税額は、それぞれの事業に係る総収入金額からその事業に係る必要な経費を控除して得た額に、その事業について定められている税率を乗じて算定することとなり、その納付は、養殖業に係るものについてはＡ県に、貸家業に係るものについてはＢ県に、それぞれ行うこととなるのか。また、その賦課徴収は、どのような方法によることとなるのか。」 と問われた。これに対してどのように答えたらよろしいですか。 なお、甲氏は、所得税においては開業以来、青色申告書を提出することについて国の税務官署の承認を受けていない。 **〔第二問〕（30点）** 法人事業税の中間納付額の算定。	個人事業税についての広範な問題である。解答内容は、さほど難しくないが時間内の解答作成にはかなりのテクニックが必要となる。 中間納付額算定の体系を問う良問である。
２年度 （第40回）	**〔第一問〕（70点）** 事業等の状況が次のとおりである甲株式会社（以下「甲社」という。）の経理担当者の来訪を受け、「平成２年１月１日に開始する第10期事業年度に係る事業税の納付は、Ｃ県、Ｄ県における事業が赤字であるから、Ａ県とＢ県に対してのみ行うこととなり、その納付は、第10期事業年度終了の日から２月以内に行うこととなるのか。また、その納付すべき事業税額は、法人税の所得の計算の例によって算定した所得に地方税法で定める標準税率を乗じて得た額を、Ａ県とＢ県の事務	法人事業税の税額算定と申告納付の全体系を問う問題である。

	所又は事業所の従業者数であん分して算定することとなるのか。」 　と問われた。これに対して、どのように答えたらよろしいですか。 (甲社の事業等の状況) 1．Ａ県に本社のある甲社は、Ａ県、Ｂ県及び法施行地外において物品製造業を、Ｃ県において倉庫業を、Ｄ県において飲食店業を、それぞれの県及び法施行地外に事務所又は事業所を設けて営んでいる。なお、Ｄ県においては従来倉庫業を営んでいたが、平成元年12月31日限りで同事業を廃止し、現在、飲食店業を営んでいる。 2．甲社の事業年度の期間は、従来６カ月であったが、平成２年１月１日以後に開始する事業年度から12カ月に変更した。 3．第10期事業年度においては、製造業部門の営業成績がよいことから、前事業年度に引続き相当多額の所得が見込まれるが、製造業部門以外の事業は、欠損金が生ずると見込まれる。 4．甲社は、創業以来他社と合併していない。また、事業税については、これまで更正を受けたことはない。 **〔第二問〕（30点）** 　法人の事業税において前事業年度中に合併があった場合の中間申告納付額の算定。	証券業を行う法人を前提とするが比較的平易な問題である。
３年度 **(第41回)**	**〔第一問〕（70点）** 　甲野太郎氏の来訪を受け、「私はＡ県ａ市で従業員を雇い出版業を営んでいたが、平成２年２月１日に父がＢ県のｂ市、Ｃ県のｃ町及び外国であるＤ国に事務所を構え従業員を雇い営んでいた物品販売業を引き継いだ。また、その機会にＢ県ｂ市の事務所を改築し、平成２年10月１日から一部の20室を賃貸している。平成２年の所得に対する事業税の申告はどうなるのか。」という相談を受	個人事業税の申告を中心に所得の計算についても言及することとなる総合問題である。

	けた。これに対して、どのように答えたらよいか。 なお、甲野太郎氏は所得税について青色申告書以外の申告書を提出している。 〔第二問〕（30点） 鉄道事業と百貨店業を行う場合の法人事業税額の算額。	法人事業税において重要度の高い鉄道事業についての計算問題である。
４年度 （第42回）	〔第一問〕（60点） 次の事項について説明しなさい。 １．事業税における分割基準の意義及び種類 ２．法人の行う損害保険事業の課税標準 ３．事業税における事務所、事業所 〔第二問〕（40点） 電気供給業と物品販売業を併せ行う法人の税額算定。	すべて理論マスターどおりの基本問題である。 収入金額の算定はさほど難しいものではなく、全体像が理解されているか問う問題である。
５年度 （第43回）	〔第一問〕（70点） １．個人の事業税の課税標準である所得を、所得税の「事業所得」との違いを明確にして説明しなさい。（40点） ２．法人事業税の更正の請求について説明しなさい。（30点） 〔第二問〕（30点） 貸金業と倉庫業を併せ行う法人の税額算定（貸金業が主たる事業）。	所得の算定、事業専従者控除、各種控除を中心としたオーソドックスな問題である。 理論マスターどおりの基本問題である。 非常に基本的な問題である。
６年度 （第44回）	〔第一問〕（70点） 甲野太郎は、Ａ県 a 市にのみ事務所を有するＡ信用金庫に勤務していたが、平成６年４月１日からＡ県 a 市に本社、Ｂ県 b 市及びＣ県 c 市に支店を設けガス供給業を行うＢ株式会社（以下「Ｂ	所得課税法人と収入金額課税法人の税額計算と手続の違いを全般にわたって問う問題で

	社」という。資本金１億円）の経理担当者として勤務することとなった。 甲野太郎氏の来訪を受け「事業税の税額計算、申告、更正・決定等につきＡ信用金庫とＢ社とでどのような違いがあるか」と問われた。これに対してどのように答えたらよいか。	ある。
	〔第二問〕(30点) 損害保険事業を行う法人の税額算定。	非常に基本的な問題である。
７年度 **(第45回)**	**〔第一問〕(70点)** 法人事業税の課税標準、更正及び決定について説明しなさい。	清算所得、課税標準の特例など解答の柱をもれなく指摘できることが必要である。
	〔第二問〕(30点) 物品販売業と倉庫業を行う法人の税額算定（物品販売業が主たる事業)。	近年では最も簡単な計算問題の１つである。
８年度 **(第46回)**	**〔第一問〕(70点)** あん摩、はり、きゅう業を個人として行っているＡ氏より、「今度、息子を従業員として不動産貸付業と新聞に広告を掲載することを取り扱う事業を始めるつもりだが、個人事業税の課税標準、税額、課税の方法はどうなるのか。詳しく教えて欲しい。」との依頼があった。できるだけ詳細に答えたいが、どう答えたら良いか。	個人事業税の総合問題であり、課税標準額の算定から賦課徴収までの広い範囲の解答を求めるものである。
	〔第二問〕(30点) 生命保険事業を行う法人の税額算定。	基本的な問題である。
９年度 **(第47回)**	**〔第一問〕(70点)** １．法人事業税の更正及び決定 ２．法人事業税の更正の請求の特例	法人事業税の是正措置に関する問題である。
	〔第二問〕(30点) 物品販売業（スーパーマーケット)、飲食店業	きわめて平易な計算

	（レストラン）、造林業を行う分割個人の税額算定。	問題であるが注意深さが無いと単純ミスをさそう問題である。
10年度 （第48回）	〔第一問〕（70点） 法人事業税の納税義務・課税標準・分割基準・税額及び申告納付	法人事業税の税率の改正を目玉としながら納税義務・税額算定・申告納付まで、全体を説明する総合問題である。
	〔第二問〕（30点） ガス供給業と物品販売業を営む法人の税額算定	難しくはないのだが勉強量が問われているような問題である。
11年度 （第49回）	〔第一問〕（70点） １．個別理論問題（40点） (1) 法人事業税の延滞金制度の意義・内容 (2) 法人事業税の還付加算金制度の意義内容 (3) 法人事業税の加算金の種類・内容	法人事業税の延滞金、加算金についての個別問題である。
	２．分割法人に合併があった場合の中間申告納付額の税額算定（30点）	理論の正確性を問う計算問題である。
	〔第二問〕（30点） 物品販売業、印刷業、冠婚葬祭業等の第１種事業と非課税事業である鉱物の掘採事業を行う分割個人（青色）の個人事業税額の税額算定	事業の種類と青色事業専従者の数が多く、とまどうかもしれないが、それ以外は基本的な問題である。
12年度 （第50回）	〔第一問〕（70点） １．法人事業税における中間申告納付の制度について、分割法人の場合も含めて説明しなさい。（40点）	中間申告納付についての個別問題である。
	２．法人の行う生命保険業の課税標準について、説明しなさい。（30点）	収入金額課税法人たる生命保険業の課税標準についての個別問題である。

	〔第二問〕（30点） 物品販売業、倉庫業、林業を営む分割法人の税額算定	外国法人税、外国所得の調整、分割基準の本社従業者の課税事業対応分への按分、税率で解答に注意を要するが、全体的には平易な問題である。
13年度 （第51回）	〔第一問〕（70点） １．法人事業税の納税義務者及び課税団体（25点） ２．法人事業税における特別法人（20点） ３．法人事業税の分割基準の意義、従業者の定義、従業者の数の算定方法（25点） 〔第二問〕（30点） 機械製造業を営む分割法人の税額算定	法人事業税の総論、分割基準からの個別問題である。 分割基準、軽減税率適用法人の判定で多少注意を要するが、全体的には大変平易な問題である。
14年度 （第52回）	〔第一問〕（70点） １．法人事業税の課税標準（法72の24の４の特例含む）（50点） ２．個人事業税の申告（20点） 〔第二問〕（30点） 電気機械器具製造業を営む分割法人の税額算定	法人事業税の課税標準を特例も含めて問う問題である。 事業を廃止した場合も含めて申告全体を問う問題である。 外国に支店を有する場合の特別な所得の計算（区分困難な場合）を中心とする平易な問題である。
15年度 （第53回）	〔第一問〕（50点） 個人事業税の課税標準について説明しなさい。	個人事業税の課税標

		準を特例を含めて問う問題である。
	〔第二問〕（25点） 甲株式会社（以下「甲社」という。）で税務申告を担当していた丙田太郎氏が、乙株式会社（以下「乙社」という。）に転職し、乙社でも税務申告を担当することとなった。丙田氏から、「乙社の事業税の申告に当たり、どのような点に留意すれば良いのか。」という質問を受けた。甲社と乙社の違いを中心に具体的に答えたいが、どのように答えればよいか。 なお、甲社と乙社の概要は以下のとおりである。 甲社　事　　業：ガス供給業 資 本 金：30億円 従業員数：39人 売 上 高：120億円 事務所又は事務所の所在地 A県a市　a本店 B県b市　b支店 乙社　事　　業：造林業及び木材加工業 資 本 金：15億円 従業員数：51人 売 上 高：90億円 事務所又は事務所の所在地 C県c市　c本店（会社全体の経営管理を行う本店） D県d市　d工場（木材加工を行う工場） D県e町　e支店（e山で造林を行う支店） F国　　　f支店（F国で木材買付けを行う支店）	収入金額課税法人と所得等課税法人の差異問う問題である。 非課税事業、法施行地外の所得の区分にも言及する必要がある。
	〔第三問〕（25点） 精密機械製造業を営む分割法人の税額算定	分割基準を中心とする実力の問われる問題である。

<table>
<tr><td>16年度
（第54回）</td><td>〔第一問〕（50点）
１．主たる事務所を日本国内に有し、かつ外国においても事業を行っている法人の事業税の課税標準（30点）
２．解散した法人の事業税の課税標準及び申告納付（20点）</td><td>個別理論問題であり、すべて理論マスターをもとに解答できる基本問題である。</td></tr>
<tr><td></td><td>〔第二問〕（25点）
甲株式会社（以下「甲社」という。）は、機械製造業と電気供給業を営む法人であるが、平成16年７月１日より、機械製造業を営む乙株式会社（以下「乙社」という。）と、乙社が100％の株式を有する、電気供給業を営む丙株式会社（以下「丙社」という。）とに分割することとなり、同時に法人税において２社で連結納税を行うこととなった。
乙社及び丙社の平成16年７月１日から平成17年６月30日までの事業年度の事業税の申告納付に当たって注意すべき点を、甲社の平成15年７月１日から平成16年６月30日までの事業年度の場合と比較しながら述べなさい。
なお、各社の概要は【資料】のとおりである。
【資料】
<table>
<tr><td></td><td>甲社</td><td>乙　社</td><td>丙社</td></tr>
<tr><td>事業</td><td>機械製造業及び電気供給業</td><td>機械製造業</td><td>電気供給業</td></tr>
<tr><td>資本金の額</td><td>７億円</td><td>５億円</td><td>２億円</td></tr>
<tr><td>事業年度</td><td>６月30日を事業年度終了の日とする１年決算法人</td><td>６月30日を事業年度終了の日とする１年決算法人</td><td>６月30日及び12月31日を事業年度終了の日とする６か月決算法人</td></tr>
<tr><td>売上金額</td><td>23億円
（機械製造業 22億円）
（電気供給業 1億円）</td><td>20.6億円</td><td>0.7億円
0.5億円</td></tr>
<tr><td>事務所等</td><td>本　店　A県a市
支　店　B県b市
工　場　C県c市
発電所　C県c市</td><td>本　店　A県a市
工　場　C県c市</td><td>本　店　B県b市
発電所　C県c市</td></tr>
</table>

（注）甲社の資本金の額及び事務所等は、平成16</td><td>３社を比較して、課税標準、分割基準税率、申告納付を説明する総合的理解力を問う問題である。</td></tr>
</table>

	年６月30日時点のものであり、売上金額は平成15年７月１日から平成16年６月30日までの事業年度のものである。 乙社の資本金の額及び事務所等は、平成17年６月30日時点のものであり、売上金額は平成16年７月１日から平成17年６月30日までの事業年度のものである。 丙社の資本金の額及び事務所等は、平成16年12月31日時点及び平成17年６月30日時点ともに各欄のとおりであり、売上金額の欄の上段の数値は平成16年７月１日から平成16年12月31日までの事業年度のもの、下段の数値は平成17年１月１日から平成17年６月30日までの事業年度のものである。 **〔第三問〕（25点）** 鉄道業と物品販売業、食品製造業を営む分割法人の税額算定	 分割基準及び税率の改正の適用時期を中心としているものの全体的には平易な問題である。
17年度 **（第55回）**	**〔第一問〕（50点）** 甲医師は、従来から、看護師である妻の協力も得つつ、個人で病院を開業していたが、平成17年10月１日より、乙医療法人（資本金２億円、事業年度１年）を設立して病院を経営する形に変更したいと考えている。 甲医師から、医療法人設立前と設立以後とでは事業税に関してどのような違いがあるかについて聞かれた丙税理士は、留意すべき点としてどのようなことを説明すればよいか。医業と他の業とで異なっている点も踏まえつつ述べなさい。 **〔第二問〕（15点）** Ａ株式会社（以下「Ａ社」という。）は、資本金3,200億円、事業年度６か月の、製造業を営む内国法人である。	医業を営む個人が医療法人を設立する場合の「比較・事例問題」である。 個人事業税と法人事業税の差異を問う問題であり、課税客体、期間、課税標準、税率、分割基準、手続きなど網羅性が要求される。 資本割の課税標準を問う、事例問題である。

	A社は、発行済株式の100％を有する内国法人であるB株式会社（以下「B社」という。）を設立し、A社製品の国内販売を担当させるとともに、A社が発行済株式の30％を、B社が発行済株式の70％を有する外国法人であるC株式会社（以下「C社」という。）を設立し、A社製品の製造に要する部品を調達させている。 また、A社はB社が発行する社債を引き受けている。 この場合に、A社の資本割の課税標準の算定において留意すべき点について述べなさい。 **〔第三問〕（35点）** 小売業及び製造業を営む分割法人の税額算定（外形標準課税）。	外形標準課税及び分割基準を論点とする総合問題。
18年度 **（第56回）**	**〔第一問〕（50点）** **問１**　法人事業税の更正及び決定について説明しなさい。なお、更正又は決定の請求については説明を要しない。（30点） **問２**　外形標準課税対象法人に対する徴収猶予について説明しなさい。（20点） **〔第二問〕（20点）** 甲は、同居している妻（甲と生計と一にする）、同居していない息子（甲と生計を一にしない）及び１名の雇用人とともに、A県のみにおいて、野菜の栽培及び乳牛の育成を行っている。妻、息子及び雇用人のいずれも両事業に専ら従事しており、平成17年における４人の労働日数は【資料】のとおりである。 甲から平成17年分の所得に対する個人事業税の課税標準及び税額の算定について問われた乙税理士はどのように説明すべきか述べなさい。なお、甲は、開業以来、所得税法に規定する青色申告の承認の申請を行ったことはない。	法人事業税の更正又は決定、徴収猶予についての個別問題である。 個人事業税における課税客体の判定を含む税額算定を問う事例問題である。

<table>
<tr>
<td></td>
<td>【資料】
<table>
<tr><th></th><th>甲</th><th>妻</th><th>息子</th><th>雇用人</th></tr>
<tr><td>野菜の栽培</td><td>300日</td><td>250日</td><td>200日</td><td>250日</td></tr>
<tr><td>乳牛の育成</td><td>250日</td><td>150日</td><td>250日</td><td>200日</td></tr>
</table>
〔第三問〕（30点）
　物品販売業及び製造業を営む分割法人の税額算定（外形標準課税）。</td>
<td>　外形標準課税及び分割基準を論点とする総合問題。</td>
</tr>
<tr>
<td>**19年度**
（第57回）</td>
<td>**〔第一問〕（45点）**
　法人事業税の分割基準及び二以上の都道府県において事務所又は事業所を設けて事業を行う法人の申告納付について説明しなさい。</td>
<td>　法人事業税の分割基準及び確定申告納付を中心とした手続規定を網羅する個別問題である。</td>
</tr>
<tr>
<td></td>
<td>**〔第二問〕（20点）**
　甲株式会社（資本金10億円）は、乙人材派遣会社（資本金１億円）から、労働者派遣契約に基づき事務員10名の派遣を受けている。また、子会社である丙株式会社（資本金５億円）に対し、社員３名を出向させている。さらに、丁警備会社（資本金20億円）との間で、本社事務所の警備に関する請負契約を結び、丁警備会社の警備員を常駐させている。
　甲株式会社から付加価値割の算定について問われたＡ税理士はどのように説明すべきか述べなさい。</td>
<td>　法人事業税における付加価値割の算定を問う事例問題である。</td>
</tr>
<tr>
<td></td>
<td>**〔第三問〕（35点）**
　電気供給業及び鉄道事業を営む法人の税額算定（外形標準課税）</td>
<td>　外形標準課税及び分割基準を論点とする総合計算問題。</td>
</tr>
<tr>
<td>**20年度**
（第58回）</td>
<td>**〔第一問〕（55点）**
問１　所得割の課税標準及び付加価値割の単年度損益の算定について共通点と相違点を説明しなさい。</td>
<td>　各事業年度の所得と単年度損益の計算構造について比較する問題である。</td>
</tr>
</table>

	問２　次の法人が解散した場合の事業税の課税標準及び申告納付について説明しなさい。 (1) 資本金10億円の製造業を行う株式会社 (2) 私立学校を設置する学校法人	株式会社と学校法人の解散・清算について問う個別理論。
	問３　法人の行う保険業の課税標準の算定について説明しなさい。	生命保険会社、損害保険会社、少額短期保険業者に係る課税標準を問う個別理論。
	〔第二問〕（15点） 甲税理士はガス供給業を行う乙社から、法人の加算金の制度について問い合わせを受けた。乙社は、申告期限が平成20年６月30日である法人の事業税に係る確定申告書を期限内に提出せず、平成20年７月20日に提出したものである。乙社の納付すべき税額は60万円であり、乙社は４年前にも申告期限内に申告しなかったことがある。 乙社に課される加算金についてどのように説明すべきか述べなさい。 なお、地方税法第72条の47（法人の事業税の重加算金）の規定については説明を要しない。	期限後申告納付をベースとする不申告加算金について問う事例問題。
	〔第三問〕（30点） 小売業と製造業を営む分割法人の税額算定（外形標準税額）。	外形標準課税及び分割基準を論点とする総合計算問題。
21年度 **（第59回）**	**〔第一問〕（50点）**	
	問１　事業税における事務所又は事業所について説明しなさい。	課税団体に関わる総論部分としての個別理論問題。
	問２　資本割の課税標準の算定について説明しなさい。	外形対象法人に係る資本割の課税標準の個別理論問題。
	〔第二問〕（20点） 甲税理士は、不動産貸付業を営む乙氏から、個人の事業税について相談を受けた。乙氏は平成21年６月にＡ県の事務所を閉鎖して事業を廃止する	事業を廃止した場合も含めて問う個人事業税の総合問題。

	こととしたものである。 乙氏の平成20年及び平成21年の所得に対する個人の事業税の申告についてどのように説明すべきか述べなさい。 なお、課税標準及び税額の計算については説明を要しない。	
	〔第三問〕（30点） ガス供給業と小売業を営む分割法人の税額算定（外形標準課税）。	収入金額課税事業及び所得等課税事業を併営する場合を論点とする総合計算問題。
22年度 （第60回）	〔第一問〕（50点） 問１　法人の事業税における申告納付期限の延長について説明しなさい。	災害等により確定申告納付の期限が延長される場合を問う個別理論問題。
	問２　法人税法の規定に基づく連結納税の承認を受けている法人の事業税の中間申告納付について説明しなさい。	予定申告による中間申告納付を中心とする個別理論問題。
	問３　付加価値割の課税標準を構成する報酬給与額について説明しなさい。	各事業年度の付加価値額の算定の基礎となる報酬給与額を論点とする個別理論問題。
	〔第二問〕（20点） 確定申告された課税標準額又は事業税額に不足額がある場合に、この不足額を是正するために納税義務者である法人がとると考えられる措置、道府県知事がとると考えられる措置について、それぞれ説明しなさい。 なお、延滞金及び加算金については説明を要しない。	法人事業税の修正申告納付及び更正について問う総合理論問題。
	〔第三問〕（30点） 問１　医業、クリーニング業、駐車場業及び飲食店業を行う分割個人（白色）の個人事業税の税額算定	社会保険診療等に係る所得、専従者控除及び各種控除の取扱いを

		論点とした総合計算問題。
	問２　製造業を営む分割法人の資本割額の算定（外形対象法人）	特定内国法人及び資本金等の額が千億円超の場合における課税標準の調整方法を論点とする個別計算問題。
23年度 **（第61回）**	**〔第一問〕（50点）** **問１**　所得割の課税標準の算定方法について説明しなさい。 　なお、法人税の課税標準である所得の計算の例によらないものについては、法人税と事業税における取扱いの違いを明確にした上で、説明しなさい。	各事業年度の所得について法人税法との差異を前提とし問う個別理論問題。
	問２　青色事業専従者及び事業専従者に係る所得の計算方法について説明しなさい。	個人事業税の課税標準の算定につき適用される専従者控除を問う個別理論問題。
	〔第二問〕（20点） 　甲税理士は、２以上の都道府県において事務所又は事業所（以下「事務所等」という。）を設けて事業を営む乙株式会社（以下「乙社」という。）から、付加価値割及び資本割に係る徴収猶予（以下「徴収猶予」という。）の適用要件等について問合せを受けた。 　乙社は資本金の額が１億円を超える法人であり、設立以来所得がないことから徴収猶予の申請を行うこととしたものである。また、主たる事務所等所在地の都道府県知事に対する徴収猶予の申請が認められれば、その他の関係都道府県においても徴収猶予の適用が認められると考えている。 　甲税理士は、乙社の認識等を踏まえて徴収猶予制度についてどのように説明すべきか述べなさい。	外形対象法人に係る徴収猶予について問う総合理論問題。

	〔第三問〕 販売業を営む分割法人の清算中の各事業年度の申告納付に係る税額算定問題（外形対象法人）	清算中の各事業年度の申告納付における納付する割の判断及び分割基準を論点とする総合計算問題。
24年度 （第62回）	〔第一問〕（30点） 問１　法人が事業税の確定申告を行わなかった場合に、道府県知事がとると考えられる措置について説明しなさい。ただし、罰則については説明を要しない。 問２　電気供給業及びガス供給に係る収入割の課税標準額の算定方法について説明しなさい。ただし、分割基準については説明を要しない。 〔第二問〕（20点） 甲氏は、総トン数10トンの動力漁船を購入し、平成23年５月10日から、同居の妻及び親族ではない３名の者とともに、Ｘ県に所在する自宅を事務所として、当該動力漁船を用いた魚介類の採捕の事業（漁具を定着して行うものではない。）及び自宅に併設した店舗において採捕した魚介類を販売する事業を開始したが、平成23年８月20日に、台風により当該動力漁船に損害を受けた。 なお、親族ではない３名の者のうち２名は、甲氏とともに魚介類の採捕に従事し、１名は甲氏の妻とともに魚介類の販売に従事しており、甲氏、甲氏の妻及び被用者３名の年間の従業日数はすべて同一である。 以上の事実を踏まえ、平成24年度以降に課税される事業税の課税標準及び税額の算定について甲氏から尋ねられた乙税理士はいかに説明したらよいか述べなさい。その際、まず個人の事業税の課税標準及び税額の算定方法について制度の概説を行った上で、甲氏の場合についてあてはめを行う	法人事業税における決定について問う個別理論問題。 電気供給業及びガス供給業に係る課税標準を問う個別理論問題。 個人事業税における課税客体の判定を含む課税標準及び税額算定を問う事例問題。

	形で説明すること。ただし、事業専従者控除及び青色事業専従者控除については説明しない。	
	〔第三問〕（50点）	
	問１　少額短期保険業者に係る税額算定。	収入金額及び分割基準を論点とする総合計算問題。
	問２　鉄道業と物品販売業、不動産業及び製造業を営む分割法人の税額算定（外形標準課税）。	外形標準課税及び分割基準を論点とする総合計算問題。
25年度 （第63回）	〔第一問〕（30点）	
	問１　法人の事業税の更正の請求について説明しなさい。	法人事業税における更正の請求について問う個別理論問題。
	問２　法人の事業税の中間申告納付について説明しなさい。ただし、適格合併に係る合併法人の中間申告納付については説明を要しない。	法人事業税における中間申告納付について問う個別理論問題。
	〔第二問〕（20点） Ｘ株式会社（以下「Ｘ社」という。）は、主たる事業として小売業を行う法人である。以下の【資料】に基づき、Ｘ社の第39期事業年度に係る法人の事業税の課税標準額の算定方法について、同社の経理担当者から尋ねられた甲税理士は、いかに説明したらよいか述べなさい。その際、まず法人の事業税の課税標準額の算定方法について制度の概説を行った上で、Ｘ社の場合について当てはめを行う形で説明すること。 【資料】 １　Ｘ社の第39期事業年度は、平成23年11月１日から平成24年10月31日までである。 ２　Ｘ社は、Ａ県に本社及び店舗を、Ｂ県及びＣ県に支社及び店舗をそれぞれ設けており、第39期事業年度において事務所又は事業所の新設又は廃止はなされていない。 ３　Ｘ社の平成24年10月31日現在の資本金の額は８億円である。	法人事業税における外形標準課税の対象となる法人の課税標準を問う事例問題。

	４　１から３までの事情以外に考慮すべき項目はない。 〔第三問〕（50点）	
	問１　畜産業、飲食店業、不動産貸付業、駐車場業及び物品販売業を行う分割個人（青色）の個人事業税の税額算定	第２種事業、青色事業専従者及び各種控除の取扱いを論点とした総合計算問題。
	問２　製造業（非課税事業を含む。）を行う分割法人の資本割額の算定	非課税事業及び持株会社等の論点を中心とした資本割額の算定問題。
26年度 （第64回）	〔第一問〕（30点） 問１　法人の事業税の確定申告及び申告納付期限の延長について説明しなさい。	法人事業税における確定申告及び期限の延長について問う個別理論問題。
	問２　医療法人（医療法に規定する社会医療法人を除く。）に係る事業税額の算定方法について説明しなさい。	特別法人である医療法人の税額算定について問う総合理論問題。
	〔第二問〕（30点） 甲法人（事業年度４月１日から翌年３月31日）は、２以上の都道府県において事業所又は事務所（以下「事務所等」という。）を設け、衣類の販売事業を行っている。平成25年５月に国からの補助金を受け、保有する事務所等に太陽光パネルを設置、発電を開始、電力の一部を電力会社に販売し、一定の収入をあげている。 なお、甲法人は、衣類販売事業と電力販売事業の経理を区分しており、電力販売事業の売上金額は、主たる事業である衣類販売事業の売上金額の１割を超えている。 また、甲法人は、Ａ県に本社及び店舗を、Ｂ県及びＣ県に支社及び店舗をそれぞれ設けており、平成25年４月１日から平成26年３月31日までの事業年度（以下「第45期事業年度」という。）にお	法人事業税における外形標準課税方式の事業と収入金額課税事業を併営する法人の税額算定を主論点として問う事例問題。

	いて事務所等の新設又は廃止はなされていない。第45期事業年度末日における資本金の額は10億円である。 以上の事実を踏まえ、第45期事業年度の事業税の申告について甲法人から尋ねられた乙税理士は、どのように説明したらよいか述べなさい。	
	〔第三問〕（40点）	
	問１　水産業、物品販売業、駐車場業及び飲食店業を行う分割個人（白色）の個人事業税の税額算定	第２種事業及び駐車場業の課税関係の判断や白色事業専従者控除の処理方法を論点とした総合計算問題。
	問２　バス運送業を専業とする分割法人の税額算定問題（外形標準課税）	外形標準課税及び分割基準を論点とする総合計算問題。
27年度 （第65回）	〔第一問〕（30点）	
	問１　資本割の課税標準について説明しなさい。	外形対象法人に係る資本割の課税標準の個別問題。
	問２　法人の事業税における加算金の種類及び内容について説明しなさい。ただし、還付加算金については説明を要しない。	法人事業税における各種加算金を問う個別問題。
	〔第二問〕（30点）	
	甲は、同居している妻（甲と生計を一にする。）、同居している息子（甲と生計を一にする。）及び２名の雇用人とともに、Ｘ県のみにおいて、米の栽培、養鶏及び自宅に併設した店舗において自家生産の卵の販売を行っている。妻、息子及び雇用人のいずれもこれらの事業に専ら従事しており、平成26年における５人の労働日数は【資料】のとおりである。 甲から平成26年の所得に対する個人事業税の課税標準及び税額の算定について問われた乙税理士はどのように説明したらよいか述べなさい。なお、甲は開業以来、所得税法に規定する青色申告	個人事業税における課税客体の判定を含む課税標準及び税額算定を問う事例問題。

書を提出することにつき国の税務官署の承認を受けていない。

【資料】

	甲	妻	息子	雇用人Ａ	雇用人Ｂ
米の栽培	200日	100日	200日	300日	300日
養　鶏	250日	100日	100日	250日	250日
卵の販売	200日	250日	250日	100日	100日

〔第三問〕（40点）

問１　分割法人である損害保険会社の税額算定問題

収入金額及び分割基準を論点とする総合計算問題。

問２　卸売業及び製造業を営む分割法人の税額算定問題（外形標準課税）

外形標準課税及び分割基準を論点とする総合計算問題。

28年度
（第66回）

〔第一問〕（30点）

問１　個人の事業税の申告について、以下の場合に言及しつつ説明しなさい。

・繰越控除の適用を受けようとする場合
・２以上の都道府県に事務所又は事業所を設けて事業を行う場合
・所得税の確定申告書等が提出された場合

個人事業税の申告について解答内容に指定をして問う問題である。

問２　２以上の都道府県に事務所又は事業所を設けて製造業を行う法人の分割基準について説明しなさい。

製造業を行う法人に係る分割基準について問う問題である。

〔第二問〕（25点）

甲株式会社（以下「甲社」という。）の第18期事業年度における付加価値割の算定について、Ａ税理士はどのように説明すべきか述べなさい。なお、甲社の概要については以下のとおりである。

・資本金の額は20億円である。
・１年を通じて建設業及び林業を営んでいる。
・現在、甲社の連結法人である乙株式会社へ社員２名を出向させている。
・労働者派遣法に基づく労働者派遣契約に基づき、丙人材派遣会社から社員４名の派遣を受け

外形対象法人における付加価値割の算定について問う総合問題である。

	ている。 ・甲社の本店は日本国内にあるが、Ｐ国においても建設業を営んでいる。 ・地方税法附則第９条第13から同条第18項までに規定する雇用者給与等支給額が増加した場合の付加価額の控除については、説明を要しない。 〔第三問〕（45点）	
	問１　分割法人である電気供給業及び不動産業を行う法人の税額算定問題	課税標準及び分割基準を論点とする総合計算問題。
	問２　分割法人である卸売業、製造業及び倉庫業を行う法人の税額算定問題（外形標準課税）	外形標準及び分割基準を論点とする総合計算問題。
29年度 **（第67回）**	**〔第一問〕**（30点）	
	問１　物品販売業のみ行う株式会社（資本金の額は１億円超）が解散（合併によるものではない。）した場合における清算中の各事業年度の法人事業税の申告納付について説明しなさい。	法人の解散・清算に伴う申告納付について問う個別理論問題。
	問２　法人の行う保険業（貿易保険業を除く。）に係る収入割の課税標準の算定方法について説明しなさい。 なお、分割基準については説明を要しない。	生命保険会社、損害保険会社、少額短期保険業者に係る課税標準を問う個別理論問題。
	〔第二問〕（25点） Ａ氏はＰ県に所在する自宅の一部を店舗として利用し、雇用人Ｂ、Ｃの２名とともにマッサージ業を営み利益を得ている。加えてＡ氏は同自宅兼店舗にて、子Ｄに不動産の貸付けに関する事務に従事させ利益を得ている。 また、Ａ氏は平成28年９月23日にＱ県に新たに健康雑貨を販売する店舗を開設し、雇用人Ｅ、Ｆの２名を新たに雇い、販売業に従事させることとした。 平成29年度に課税される事業税の課税標準及び	個人事業税における課税客体の判定を含む課税標準及び税額算定を問う事例問題。

税額の算定についてＡ氏から尋ねられた場合、甲税理士はいかに説明したらよいか述べなさい。 　なお、損失の繰越控除、被災事業用資産の損失の繰越控除、事業用資産の譲渡損失の控除及び事業用資産の譲渡損失の繰越控除に関することについては説明を要しない。 【資料】 ・Ａ氏は平成18年の開業以来、所得税法に規定する青色申告書を提出することにつき所轄税務署長の承認を受けており、継続して事業を行っている。 ・Ａ氏の子Ｄは地方税法第72条の49の12第２項に規定する青色事業専従者に該当する。 ・Ａ氏は子Ｄに支払った給与について、青色事業専従者給与に関する届出書を所轄税務署長に期限内に提出している。 ・Ａ氏はマッサージ業以外には従事していない。 ・マッサージ業はあん摩マッサージ指圧師、はり師、きゅう師等に関する法律に掲げる免許に基づくものである。 ・Ａ氏は社会保険診療は行っていない。 ・Ａ氏は地方税法第72条の２第10項第５号に掲げる両目の視力を喪失した者及び視力障害のある者に該当しない。 ・マッサージ業、不動産貸付業、販売業それぞれを区分して所得を計算している。 ・Ａ氏が貸し付けている不動産はＱ県に所在するアパート２棟16室である。 ・雇用人Ｅ、Ｆの２名を新たに雇ったことを除き、平成28年中に従業者数の変動はない。 ・Ｐ県及びＱ県は個人の事業税について、地方税法第72条の49の17第１項各号に掲げる標準税率と同じ税率を採用している。 **〔第三問〕**（45点） **問１**　分割法人であるガス供給業を行う法人の税	 課税標準及び分割基

	額算定問題 **問２**　分割法人に適格合併があった場合の中間申告納付額の算定問題	準を論点とする総合計算問題。 外形標準課税及び適格合併における中間申告納付を論点とする総合計算問題。
30年度 **（第68回）**	**〔第一問〕**（30点） **問１**　２以上の道府県において事務所を設けて物品販売業を行う法人（資本金１億円）の平成29年４月１日から平成30年３月31日までの事業年度（当該事業年度中、合併があった事実はない。）における事業税の中間申告納付について説明しなさい。 **問２**　法人の事業税の更正の請求について説明しなさい。 **〔第二問〕**（25点） 甲税理士は、Ａ県において製造業を行う株式会社Ｘ（以下「Ｘ社」という。）から法人の事業税の加算金について問合せを受けた。Ｘ社の申告等の状況は以下の【資料】のとおりである。 この場合、Ｘ社が平成30年９月に行うことを予定している修正申告書の提出により課されるべき加算金について、どのように説明したらよいか述べなさい。その際、まず当該加算金に係る制度の概説を行った上で、Ｘ社の場合について当てはめを行う形で説明すること。 なお、地方税法第72条の47（法人の事業税の重加算金）の規定については説明を要しない。 【資料】 １．Ｘ社は、第５期事業年度（平成29年４月１日から平成30年３月31日までの事業年度）分の事業税の確定申告書（以下「当初申告書」という。）について、その申告納付期限である平成30年５月31日までに申告書を提出するこ	法人事業税における中間申告納付について問う個別理論問題。 法人事業税における更正の請求について問う個別理論問題。 期限後申告納付及びその後の修正申告納付をベースとする不申告加算金について問う事例問題。

と及びその税額を納付することを失念していたため、同年６月１日に、当初申告書をＡ県ａ県税事務所に提出した。当初申告書に記載した事業税額（所得割額）は600,000円であった。

２．Ｘ社は、平成30年６月20日に、ａ県税事務所から次の通知を受けた。

＜通知の内容（要旨）＞

当初申告書に記載された事業税額を基礎とした不申告加算金（当初申告書の提出が、当初申告書に係る事業税額について決定があるべきことを予知してされたものでないものとして計算された金額）の決定

３．Ｘ社は、平成30年８月に、ａ県税事務所から次の理由により事業税に関する調査を受けた。この結果、第５期事業年度分の事業税額の適正額は1,500,000円（内訳：所得割額600,000円、付加価値割額400,000円、資本割額500,000円）であり、当初申告書に記載した事業税額には900,000円の不足額があることが判明した。

Ｘ社は、この時点で、当該不足額の更正があるべきことを予知している。

＜調査の理由＞

Ｘ社は、第５期事業年度の中途において増資し、外形標準課税対象法人となったが、当初申告書では付加価値割及び資本割を申告していなかったため。

４．Ｘ社は、平成30年９月に、事業税額の不足額900,000円について修正申告書を提出するとともに、納付する予定である。

５．Ｘ社は、第１期事業年度（平成25年４月１日から平成26年３月31日までの事業年度）分の事業税額について、平成28年12月に、ａ県税事務所から重加算金を徴収されたことがある。

	〔第三問〕（45点）	
	問１　水産業、飲食店業、物品販売業、不動産貸付業及び駐車場業を行う分割個人（青色）の個人事業税の税額算定。	第２種事業及び不動産貸付業の課税関係の判断や青色事業専従者控除の処理方法を論点とした総合問題。
	問２　分割法人である製造業及び販売業を行う法人の税額算定（外形標準課税）	外形標準課税及び分割基準を論点とする総合計算問題。
令元年度 （第69回）	〔第一問〕（30点）	
	問１　個人事業税の課税標準及びその算定方法について説明しなさい。ただし、各種控除についての説明は要しない。	個人事業税の課税標準について問う個別理論問題。
	問２　付加価値割の課税標準及びその算定方法について説明しなさい。ただし、「外形標準課税における賃上げ及び投資の促進に係る税制（地方税法附則第９条第13項）」及び「法人事業税の税率改正に伴う負担変動の軽減措置（平成28年改正法附則第５条の控除）」についての説明は要しない。	付加価値割の課税標準について問う個別理論問題。
	〔第二問〕（25点）	
	甲氏は、日用品の製造を行っているＸ株式会社（以下「Ｘ社」という。）から、Ｘ社の子会社で、ソーラーパネルを設置し、電気の販売事業を行っているＹ株式会社（以下「Ｙ社」という。）の経理担当として出向した。乙税理士は甲氏に、「第５期事業年度（平成30年　４月１日から平成31年３月31日までの事業年度）分の事業税の申告についてどのような点を留意したらよいか。Ｘ社とＹ社を比較して、ご教示いただきたい。」という質問を受けたが、どのように答えたらよいか。 なお、Ｘ社とＹ社の概要は次の【資料】のとおりである。	収入金額課税法人と外形対象法人の差違を問う事例問題。 分割基準や税率について言及する必要がある。

	【資料】 （X社） ・事業：製造業 ・資本金：10 億円 ・事務所又は事業所の所在地 　A県ａ市　ａ本店 　B県ｂ市　ｂ工場 　C県ｃ町　ｃ工場 （Y社） ・事業：電気供給業（電気供給業以外にサービス業を行っている。） ・資本金：１億円 ・事務所又は事業所の所在地 　D県ｄ市　ｄ本店 　E県ｅ市　ｅ支店 ・ソーラーパネルの所在地 　F県ｆ村　ｆ発電所（従業員は常駐していない。）	
	〔第三問〕（45点）	
	問１　生命保険会社等に係る税額算定問題	収入金額及び分割基準を論点とする計算問題。
	問２　分割法人である製造業を行う法人の税額算定（外形標準課税）	外形標準課税及び分割基準を論点とする総合計算問題。

２年度 (第70回)	〔第一問〕(50点) **問１**　国内に主たる事務所又は事業所を有する法人で外国にその事業が行われる場所を有するものについて、次の課税標準の算定方法について説明しなさい。 (1) 所得割 (2) 資本割	外国に支店等を有する特定内国法人の課税標準を論点とする個別理論問題。
	問２　Ａ氏は、妻Ｂ、娘Ｃ及び10名の雇用人とともに、Ｎ県において、個人で歯科医院を開業しているが、令和２年10月１日より、甲医療法人（事業年度１年）を設立して病院を経営する形に変更したいと考えている。 Ｂ税理士は、Ａ氏から「甲医療法人設立前と設立以降では事業税に関してどのような違いがあるか。」という質問を受けた。Ｂ税理士はなぜそうなるかという理由も含めて説明したいと考えているが、どのように説明すべきか述べなさい。 なお、Ａ氏に関する情報は次の【資料】のとおりである。 **【資料】** ・Ａ氏は、開業以来、所得税法に規定する青色申告書を提出することにつき所轄税務署の承認を受けており、継続して事業を行っている。 ・妻Ｂは、Ａ氏と同居しており、生計を一にしている。また、Ａ氏の事業だけに従事している。 ・娘Ｃは、Ａ氏と同居しておらず、生計を一にしていない。また、乙医療法人にも勤務している。 ・Ａ氏は、妻Ｂと娘Ｃに支払った給与について、青色事業専従者給与に関する届出書を所轄税務署長に提出している。	医業を営む個人が医療法人を設立する場合の「比較・事例問題」。個人事業と法人事業税の差異を問う問題であり、課税標準、税率、手続きなど網羅性が要求される。

	・A氏は、社会保険診療と自由診療を行っている。 ・A氏は、丙町内会に毎年10万円寄附しており、甲医療法人設立後についても、甲医療法人から寄附を続けて行う。 ・上記以外に考慮すべき項目はない。 〔第二問〕(50点) 問１　分割法人に適格合併があった場合の中間申告納付額の算定問題 問２　分割法人である損害保険会社の税額算定問題	 外形標準課税及び適格合併における中間申告納付を論点とする総合計算問題。 収入金額及び分割基準を論点とする総合計算問題。
３年度 (第71回)	〔第一問〕(50点) 問１　２以上の都道府県において事務所を設けて建設業を行う法人(資本金500,000,000円)について、次の(1)及び(2)の事項を説明しなさい。ただし、適格合併に係る説明は要しない。 (1) 中間申告納付 (2) 清算中の各事業年度の申告納付 問２　S株式会社(以下「S社」という。)で税務申告を担当していた甲氏が、T株式会社(以下「T社」という。)に転職し、T社でも税務申告を担当するようになった。あなたは、甲氏から、「T社の事業税の申告に当たり、どのような点に留意すればよいのか。」という質問を受けた。S社とT社の違いを中心に理由を含めて説明したいが、どのように説明すべきか述べなさい。 なお、S社とT社の概要は次のとおりである。	 外形対象法人に係る中間申告納付及び清算中の各事業年度の申告納付を論点とする理論問題。 所得課税法人と収入金額課税法人の差異を問う事例問題。分割基準や税率について言及する必要がある。

	【Ｓ社】 事業:製造業 資本金:100,000,000円 従業員数：231人 売上高：2,200,000,000円 事務所又は事業所の所在地 Ａ県　本店 Ｂ県　工場 Ｃ国　支店 【Ｔ社】 事業：生命保険業 資本金：1,000,000,000円 従業員数：718人 売上高：5,900,000,000円 事務所又は事業所の所在地 Ｄ県　本店 Ｅ県　支店ｘ Ｆ県　支店ｙ Ｇ県　支店ｚ	
	〔第二問〕（50点）	
	問１　分割法人である製造業及び卸売業を行う法人の税額算定問題（外形標準課税）。	外形標準課税及び分割基準を論点とする総合計算問題。
	問２　マッサージ業、不動産貸付業及び駐車場業を行う分割個人（青色申告者）の個人事業税の税額算定問題。	事業を廃止する個人の税額算定。青色事業専従者控除及び各種控除の処理方法を論点とする総合計算問題。
４年度 （第72回）	〔第一問〕（50点） 問１　個人事業税の課税標準の算定について、次の(1)及び(2)の事項を説明しなさい。 (1) 所得税の所得の計算の例によらないもの (2) 各種の控除	個人事業税の課税標準及び各種控除を論点とする個別理論。

問２　税理士であるあなたは、令和４年５月20日、Ａ株式会社(以下「Ａ社」という。）の代表取締役である甲氏から第４期事業年度に係る事業税の納付について相談を受けたがどのように説明すべきか述べなさい。ただし、地方税法附則第３条の２に規定する延滞金の割合等の特例については説明を要しない。 　相談内容は次の【資料】のとおりである。 【資料】 ・Ａ社の第４期事業年度は、令和３年４月１日から令和４年３月31日までである。 ・Ａ社の資本金の額は、令和４年３月31日時点で120,000,000円である。 ・Ａ社は、平成30年４月１日に設立されて以来、所得割の課税標準となる所得はない。 ・令和４年５月31日の申告納付期限までには申告できる予定であるが、事業税額の納付はできない見通しである（当該事業税額を納付できないことについてやむを得ない事由があるとは認められない。） ・納期限までに納付できなかった場合、どのように延滞金が課されるのか知りたい。また、延滞金を軽減できるような方法があれば併せて知りたい。 ・Ａ社は高度な技術を利用した製品を作ることで評判であり、当該事業活動が地域経済の発展に寄与するものであると考えている。 ・Ａ社は申告納付期限延長の適用を受けることができる事由はない。	徴収猶予と延滞金の免除を論点とする総合理論。

	〔第二問〕（50点） **問１**　分割法人である製造業及び発電事業を行う法人の税額算定問題。 **問２**　特定内国法人の税額算定問題。	課税方式を異にする事業を併営している場合を論点とする総合計算問題。 特定内国法人の課税標準を論点とする計算問題。
５年度 **（第73回）**	**〔第一問〕－50点－** **問１**（30点） ２以上の都道府県において事務所を設けて事業を行う普通法人について、次の(1)及び(2)の事項を説明しなさい。ただし、延滞金、加算金及び還付加算金に係る説明は要しない。 (1)　期限後申告納付及び修正申告納付 (2)　当該普通法人が更正の請求をできる場合 **問２**（20点） 税理士であるあなたは、鉄道事業を行っているＳ株式会社（以下「Ｓ社」という。）で税務申告を担当している甲氏から、第９期事業年度（令和５年４月１日から令和６年３月31日までの事業年度）分の事業税の申告について相談を受けた。Ｓ社の事業税額の算定に当たっての留意事項を中心に説明したいがどのように説明すべきか、次の【資料】に基づき述べなさい。 なお、課税標準及び税額は、事業部門ごとで別々に算定するものとする。 【資料】 ・Ｓ社は資本金の額20,000,000,000円であり、設立以来、鉄道事業を行っている法人である。 ・Ｓ社は令和５年４月１日から新たに電気事業法第２条第１項第２号に規定する小売電気	法人事業税の期限後申告、修正申告及び更正の請求について問う個別問題 鉄道事業と小売電気業を併営する法人の事業税の取扱いに関する事例問題

	事業（以下「小売電気事業」という。）を開始した。 ・Ｓ社は鉄道事業及び小売電気事業は基本的に区分経理しているが、一部、両事業に共通の収入及び経費がある。 ・Ｓ社の各事業における事務所又は事業所の所在状況は次のとおりである。 　鉄道事業　　：Ａ県、Ｂ県 　小売電気事業：Ａ県、Ｂ県、Ｃ県 ・事業税の税率は、Ａ県及びＣ県では地方税法に定める標準税率、Ｂ県では同法に定めるいわゆる制限税率と同一の率を適用している。	
	〔第二問〕－50点－	
	問１（25点） 　製造業を営む分割法人の資本割額の算定問題	特定内国法人や半年決算法人に該当する場合などの調整方法を論点とする個別計算問題
	問２（25点） 　畜産業、不動産貸付業、飲食店業などを営む個人の税額算定問題	事業専従者控除の処理方法などを論点とする総合計算問題

第３　分割法人・分割個人が前提

都道府県税である事業税は、国税である法人税などと最も内容を異にする分割法人、分割個人を前提に出題されるといってもよい。これは以下の表からも明らかである。

	平25年	平26年	平27年	平28年	平29年	平30年	令元年	令２年	令３年	令４年	令５年
理　論	法　人（個別）	法　人（個・総）	法　人（個別）	法・個（個別）	法・法（個別）	法・法（個別）	個・法（個別）	法　人（個別）	法　人（個別）	個　人（個別）	法　人（個別）
	法　人（総合）	法　人（総合）	個　人（総合）	個　人（総合）	個　人（総合）	法　人（総合）	法　人（総合）	個・法（総合）	法　人（総合）	法　人（総合）	法　人（総合）
計　算	(分)法人	(分)個・法	(分)法人	(分)法人	(分)法人	(分)個・法	(分)法人	(分)法人	(分)法・個	(分)法人	(分)法・個

事業税はかつては、第一問が70点、第二問が30点の配点となって出題されることが一般的であった。しかし、平成24年、25年では、第一問（理論）及び第二問（理論）が計50点、第三問（計算）が計50点、平成26年、27年では第一問（理論）30点及び第二問（理論）30点が計60点、第三問（計算）が計40点、平成28年、29年、30年、令和元年では第一問（理論）30点及び第二問（理論）25点が計55点、第三問（計算）が計45点で出題されている。

一方で令和２年から令和５年では第一問（個別理論と総合理論）50点、第二問（計算）50点という配点になっている。理論問題においては、出題形式としては事例総合問題が出題されることが多かったが、近年は、総合理論と個別理論がセットで出題される傾向にある。

(MEMO)

第４　総合・事例問題への対応パターン

パターン1　法人事業税の事業税額算定の流れ

〔１〕概　　要

〔２〕課税標準額の算定

(1)　所得の総額の算定

〈法人税の計算の例によらない事項〉

①　海外投資等損失準備金制度の一部不適用

②　社会保険診療等に係る所得の課税除外

③　繰越欠損金の損金算入の特例

④　所得税額等の損金不算入

⑤　寄附金の損金算入限度額の調整

⑥　外国税額の損金算入の調整

⑦　残余財産確定事業年度の法人事業税の損金不算入

(2)　課税標準額の総額

〔３〕分割課税標準額の算定

〈分割基準〉

①　原　　則

②　例　　外

〔４〕事業税額の算定

(1)　標準税率

(2)　制限税率

パターン2　個人の事業税の事業税額算定の流れ

〔１〕概　　要

〔２〕課税標準の総額の算定

(1) 個人事業税の課税標準

(2) 所得の算定方法

(3) 所得税の計算の例によらない事項

① 不動産業者の土地譲渡益の分離課税に伴う調整

② 社会保険診療等に係る所得の課税除外

③ 青色事業専従者等

④ 外国税額の必要な経費算入の調整

⑤ 青色申告特別控除の不適用

(4) 損益の合算又は通算

(5) 各種控除

① 損失の繰越控除

② 被災事業用資産の損失の繰越控除

③ 事業用資産の譲渡損失の控除

④ 事業用資産の譲渡損失の繰越控除

⑤ 事業主控除

⑥ 各種控除の順序

〔３〕分割課税標準額の算定

〈分割基準〉

① 原　　則

② 例　　外

〔４〕事業税額の算定

(1) 標準税率

(2) 制限税率

参　考　条文を読む上で注意すべき用語

法律用語については、「慣用語」という特別な意味をもって用いられる言葉がある。条文の意味を正確に理解するためには、そうした「慣用語」について充分な知識を持っていることが要求される。

1．「みなす」「推定する」

「みなす」　⇨ある事物と性質が異なる事物を、法律関係では同一視することをいう。なお、反証は認められない。

「推定する」⇨ある事物と性質が同一であるか異質であるかは不明な他の事物を一応法律上同一視することをいう。したがって、反証があれば、同一視する法律効果は生じないこととなる。

「みなす」　⇨その超える部分の金額に係る金銭その他の資産は、剰余金の配当、利益の配当又は剰余金の分配と**みなす**（法25①）。

「推定する」⇨借地権等の設定の対価の額が、地代年額の20倍以下である場合には、譲渡行為に該当しないものと**推定する**（令79③）。

2．「以上」「以下」「超」「未満」

「以上」「以下」⇨基準点となる数量等を含む。

「超」「未満」　⇨基準点となる数量等を含まない。

3．「以前」「以後」「前」「後」

「以前」「以後」⇨基準となる時点を含む。

「前」「後」　　⇨基準となる時点を含まない。

4．「又は」「若しくは」

「又は」　　⇨大きな選択的接続に用いる。

「若しくは」⇨小さな選択的接続に用いる。

居住者が、災害**又は**盗難**若しくは**横領により～（法62①）

災害　　　　｝いずれか
盗難か横領　｝

5．「及び」「並びに」

「及び」　⇨小さな併合的接続に用いる。

「並びに」⇨大きな併合的接続に用いる。

利子所得とは、公社債**及び**預貯金の利子**並び**に合同運用信託**及び**公社債投資信託**及び**公募公社債等運用投資信託の収益分配（以下「利子等」という。）に係る所得をいう（法23①）。

（公社債**と**預貯金の利子）＋（合同運用信託**と**公社債投資信託**と**公募公社債等運用投資信託の収益の分配）

6．「その他の」「その他」

「Ａその他のＢ」⇨Ａは、Ｂの例示の１つであり、Ａは、Ｂに含まれている。

「Ａその他Ｂ」　⇨Ａは、Ｂに含まれておらず、ＡとＢは、並列状態にある。

「その他の」

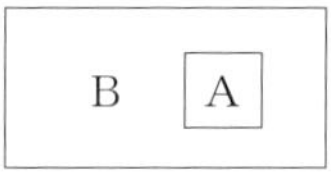

「その他」

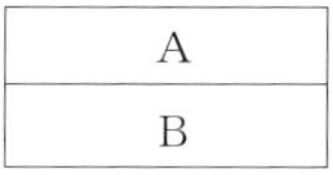

7．「場合」「とき」「時」

「場合」⇨前提条件を示す。前提条件が２ある場合には、大きい前提条件を示す。

「とき」⇨「場合」と同時に用いて、「場合」が大きい前提条件を示すのに対して、「とき」は小さい前提条件を示す。

「時」　⇨時間的な表現である。

居住者が、棚卸資産の延払条件付販売等をした**場合**において、延払基準の方法により経理した**とき**は～（法65①）。

⇨延払条件付販売等をしたという前提条件を満たした上で、延払基準の方法により経理するという前提条件を満たしたならば適用がある。

参　考

8．「者」「物」「もの」

「者」　⇨人格を持つ自然人（個人）及び法人を示す。

「物」　⇨人格者以外の有体物を示す。

「もの」⇨「者」「物」にあたらない抽象的なものを示す。

　控除対象配偶者とは、居住者の**配偶者**でその居住者と生計を一にする**もの**のうち、合計所得金額が38万円以下である**者**をいう（法２①三十三）。
⇨この場合の「もの」は、居住者の配偶者と読み替えることができる。

税理士受験シリーズ

2025年《ねん》度《ど》版《ばん》　44　事《じ》業《ぎょう》税《ぜい》　理《り》論《ろん》マスター

（昭和61年度版　1986年1月10日　初版　第1刷発行）

2024年8月23日　初　版　第1刷発行

編 著 者	ＴＡＣ株式会社 （税理士講座）
発 行 者	多　田　敏　男
発 行 所	ＴＡＣ株式会社　出版事業部 （ＴＡＣ出版） 〒101-8383 東京都千代田区神田三崎町3-2-18 電話03(5276)9492(営業) FAX 03(5276)9674 https://shuppan.tac-school.co.jp
印　　刷	株式会社 ワ　コ　ー
製　　本	株式会社 常　川　製　本

ISBN 978-4-300-11344-8
N.D.C. 336

税理士講座のご案内

2025年合格目標コース

反復学習でインプット強化! & **豊富な演習量で実践力強化!**

対象者：初学者／次の科目の学習に進む方

2024年 9月 10月 11月 12月 2025年 1月 2月 3月 4月 5月 6月 7月 8月 税理士試験

9月入学 基礎マスター＋上級コース（簿記・財表・相続・消費・酒税・固定・事業・国徴）
3回転学習！年内はインプットを強化、年明けは演習機会を増やして実践力を鍛える！
※簿記・財表は5月・7月・8月・10月入学コースもご用意しています。

9月入学 ベーシックコース（法人・所得）
2回転学習！週2ペース、8ヵ月かけてインプットを鍛える！

9月入学 年内完結＋上級コース（法人・所得）
3回転学習！年内はインプットを強化、年明けは演習機会を増やして実践力を鍛える！

12月・1月入学　速修コース（全11科目）
7ヵ月～8ヵ月間で合格レベルまで仕上げる！

3月入学　速修コース（消費・酒税・固定・国徴）
短期集中で税法合格を目指す！

対象者：受験経験者（受験した科目を再度学習する場合）

2024年 9月 10月 11月 12月 2025年 1月 2月 3月 4月 5月 6月 7月 8月 税理士試験

9月入学　年内上級講義＋上級コース（簿記・財表）
年内に基礎・応用項目の再確認を行い、実力を引き上げる！

9月入学　年内上級演習＋上級コース（法人・所得・相続・消費）
年内から問題演習に取り組み、本試験時の実力維持・向上を図る！

12月入学　上級コース（全10科目）
※住民税の開講はございません
講義と演習を交互に実施し、答案作成力を養成！

※2024年7月12日時点の情報です。最新の情報は、TAC税理士講座ホームページをご確認ください。

全国公開模試

6月中旬実施!

全11科目実施

TACの模試はここがスゴイ!

① 信頼の母集団
2023年の受験者数は、会場受験・自宅受験合わせて10,316名!この大きな母集団を分母とした正確な成績(順位)を把握できます。

信頼できる実力判定

10,316名が受験!
※11科目延べ人数

② 本試験を擬似体験
全国の会場で緊迫した雰囲気の中「真の実力」が発揮できるかチャレンジ!

③ 個人成績表
現時点での全国順位を確認するとともに「講評」等を通じて本試験までの学習の方向性が定まります。

④ 充実のアフターフォロー
解説Web講義を無料配信。また、質問電話による疑問点の解消も可能です。
※TACの受講生はカリキュラム内に全国公開模試の受験料が含まれています(一部期別申込を除く)。

直前オプション講座

最後まで油断しない!
ここからのプラス5点!

6月中旬〜8月上旬実施!

【重要理論確認ゼミ】
〜理論問題の解答作成力UP!〜

【ファイナルチェック】
〜確実な5点UPを目指す!〜

【最終アシストゼミ】
〜本試験直前の総仕上げ!〜

国公開模試および直前オプション講座の詳細は4月中旬発刊予定の
全国公開模試パンフレット」「直前オプション講座パンフレット」をご覧ください。

TAC出版 書籍のご案内

TAC出版では、資格の学校TAC各講座の定評ある執筆陣による資格試験の参考書をはじめ、資格取得者の開業法や仕事術、実務書、ビジネス書、一般書などを発行しています！

TAC出版の書籍

＊一部書籍は、早稲田経営出版のブランドにて刊行しております。

資格・検定試験の受験対策書籍

- 日商簿記検定
- 建設業経理士
- 全経簿記上級
- 税　理　士
- 公認会計士
- 社会保険労務士
- 中小企業診断士
- 証券アナリスト
- ファイナンシャルプランナー(FP)
- 証券外務員
- 貸金業務取扱主任者
- 不動産鑑定士
- 宅地建物取引士
- 賃貸不動産経営管理士
- マンション管理士
- 管理業務主任者
- 司法書士
- 行政書士
- 司法試験
- 弁理士
- 公務員試験(大卒程度・高卒者)
- 情報処理試験
- 介護福祉士
- ケアマネジャー
- 電験三種　ほか

実務書・ビジネス書

- 会計実務、税法、税務、経理
- 総務、労務、人事
- ビジネススキル、マナー、就職、自己啓発
- 資格取得者の開業法、仕事術、営業術

一般書・エンタメ書

- ファッション
- エッセイ、レシピ
- スポーツ
- 旅行ガイド（おとな旅プレミアム/旅コン）

2025年度版 税理士試験対策書籍のご案内

TAC出版では、独学用、およびスクール学習の副教材として、各種対策書籍を取り揃えています。学習の各段階に対応していますので、あなたのステップに応じて、合格に向けてご活用ください!

（刊行内容、発行月、装丁等は変更することがあります）

●2025年度版 税理士受験シリーズ

「税理士試験において長い実績を誇るTAC。このTACが長年培ってきた合格ノウハウを“TAC方式”としてまとめたのがこの「税理士受験シリーズ」です。近年の豊富なデータをもとに傾向を分析、科目ごとに最適な内容としているので、トレーニング演習に欠かせないアイテムです。」

簿記論

01	簿 記 論	個別計算問題集	（8月）
02	簿 記 論	総合計算問題集 基礎編	（9月）
03	簿 記 論	総合計算問題集 応用編	（11月）
04	簿 記 論	過去問題集	（12月）
	簿 記 論	完全無欠の総まとめ	（11月）

財務諸表論

05	財務諸表論	個別計算問題集	（8月）
06	財務諸表論	総合計算問題集 基礎編	（9月）
07	財務諸表論	総合計算問題集 応用編	（12月）
08	財務諸表論	理論問題集 基礎編	（9月）
09	財務諸表論	理論問題集 応用編	（12月）
10	財務諸表論	過去問題集	（12月）
33	財務諸表論	重要会計基準	（8月）
	※財務諸表論	重要会計基準 暗記音声	（8月）
	財務諸表論	完全無欠の総まとめ	（11月）

法人税法

11	法人税法	個別計算問題集	（11月）
12	法人税法	総合計算問題集 基礎編	（10月）
13	法人税法	総合計算問題集 応用編	（12月）
14	法人税法	過去問題集	（12月）
34	法人税法	理論マスター	（8月）
	※法人税法	理論マスター 暗記音声	（9月）
35	法人税法	理論ドクター	（12月）
	法人税法	完全無欠の総まとめ	（12月）

所得税法

15	所得税法	個別計算問題集	（9月）
16	所得税法	総合計算問題集 基礎編	（10月）
17	所得税法	総合計算問題集 応用編	（12月）
18	所得税法	過去問題集	（12月）
36	所得税法	理論マスター	（8月）
	※所得税法	理論マスター 暗記音声	（9月）
37	所得税法	理論ドクター	（12月）

相続税法

19	相続税法	個別計算問題集	（9月）
20	相続税法	財産評価問題集	（9月）
21	相続税法	総合計算問題集 基礎編	（9月）
22	相続税法	総合計算問題集 応用編	（12月）
23	相続税法	過去問題集	（12月）
38	相続税法	理論マスター	（8月）
	※相続税法	理論マスター 暗記音声	（9月）
39	相続税法	理論ドクター	（12月）

酒税法

24	酒 税 法	計算問題+過去問題集	（2月）
40	酒 税 法	理論マスター	（8月）

書籍の正誤に関するご確認とお問合せについて

書籍の記載内容に誤りではないかと思われる箇所がございましたら、以下の手順にてご確認とお問合せをしてくださいますよう、お願い申し上げます。

なお、正誤のお問合せ以外の**書籍内容に関する解説および受験指導などは、一切行っておりません。**

そのようなお問合せにつきましては、お答えいたしかねますので、あらかじめご了承ください。

1 「Cyber Book Store」にて正誤表を確認する

TAC出版書籍販売サイト「Cyber Book Store」の
トップページ内「正誤表」コーナーにて、正誤表をご確認ください。

CYBER TAC出版書籍販売サイト BOOK STORE

URL:https://bookstore.tac-school.co.jp/

2 1の正誤表がない、あるいは正誤表に該当箇所の記載がない ⇒ 下記①、②のどちらかの方法で文書にて問合せをする

★ご注意ください★

お電話でのお問合せは、お受けいたしません。

①、②のどちらの方法でも、お問合せの際には、「お名前」とともに、
「対象の書籍名(○級・第○回対策も含む)およびその版数(第○版・○○年度版など)」
「お問合せ該当箇所の頁数と行数」
「誤りと思われる記載」
「正しいとお考えになる記載とその根拠」
を明記してください。

なお、回答までに1週間前後を要する場合もございます。あらかじめご了承ください。

① ウェブページ「Cyber Book Store」内の「お問合せフォーム」より問合せをする

【お問合せフォームアドレス】

https://bookstore.tac-school.co.jp/inquiry/

② メールにより問合せをする

【メール宛先　TAC出版】

syuppan-h@tac-school.co.jp

※土日祝日はお問合せ対応をおこなっておりません。

※正誤のお問合せ対応は、該当書籍の改訂版刊行月末日までといたします。

乱丁・落丁による交換は、該当書籍の改訂版刊行月末日までといたします。なお、書籍の在庫状況等により、お受けできない場合もございます。

また、各種本試験の実施の延期、中止を理由とした本書の返品はお受けいたしません。返金もいたしかねますので、あらかじめご了承くださいますようお願い申し上げます。

TACにおける個人情報の取り扱いについて

■お預かりした個人情報は、TAC(株)で管理させていただき、お問合せへの対応、当社の記録保管にのみ利用いたします。お客様の同意なしに業務委託先以外の第三者に開示、提供することはございません(法令等により開示を求められた場合を除く)。その他、個人情報保護管理者、お預かりした個人情報の開示等及びTAC(株)への個人情報の提供の任意性については、当社ホームページ(https://www.tac-school.co.jp)をご覧いただくか、個人情報に関するお問い合わせ窓口(E-mail:privacy@tac-school.co.jp)までお問合せください。

(2022年7月現在)